Les belles amazones

Éditions J'ai Lu

BARBARA CARTLAND | *ŒUVRES*

J'ai Lu

En vente dans les meilleures librairies

BARBARA CARTLAND

Les belles
amazones

Traduit de l'anglais
par Laure CASSEAU

Ce roman a paru sous le titre original :

THE PRETTY HORSE-BREAKERS

Pour la traduction française :
Éditions de Trévise, Paris, 1973

NOTE DE L'AUTEUR

Les belles amazones ont effectivement existé bien que les historiens ne s'y soient guère intéressés. Au XIXe siècle, les chevaux destinés à être montés en amazone étaient dressés par des professionnelles. Toutes les écuries de louage en employaient. Par la suite, dans quelques-uns des manèges les plus élégants du West End de Londres, on prit l'habitude d'inviter un public trié sur le volet à assister à leurs évolutions. De jeunes aristocrates ne tardèrent pas à faire des plus jolies de ces créatures leurs maîtresses.

Il ne s'agissait pas de prostituées ayant appris l'équitation. Mais il y avait une association d'intérêts entre les entremetteuses huppées et les écuries à la mode. L'entremetteuse payait les vêtements luxueux des amazones et les chevaux que l'on vendait grâce à leurs charmes devenaient une source de profit considérable. Il n'y avait pas encore de vedettes de cinéma. C'était les amazones qui excitaient la curiosité du public à Hyde Park.

La cruauté de ces amazones envers les chevaux était également un fait. Ne disposant que d'un seul talon, la plupart d'entre elles ne parvenaient à se faire obéir qu'à coups d'éperon. Ce n'est qu'au début du XXe siècle qu'on a inventé un éperon qui ne blessait pas le cheval.

*Les belles amazones prenaient plaisir à éperon-
ner les chevaux férocement.*

G. J. Whyte-Melville, dans son livre Riding Recol-
lections, *publié en 1878, déplore leurs excès :*

*« Peut-être parce qu'elles ne disposent que d'un
éperon, elles l'utilisent avec fréquence et sans pi-
tié. Du fait de leur posture, chaque coup porte.
Leur longue jupe dissimule cette stimulation brutale et le spectateur naïf, dans les rues de Londres ou dans Hyde Park, se demande pourquoi
les chevaux des femmes caracolent davantage que
ceux de leurs compagnons. C'est le doigté de la
femme, dit-il admiratif. Pas du tout, riposte le cynique. Ce sont ses coups de talon. »*

1

— Doucement, mon ami, nous ne sommes pas pressés, dit Candida en tirant sur ses rênes.

Mais elle savait qu'il n'y avait pas de temps à perdre et que c'était elle qui différait l'inévitable. Elle ne cessait de se répéter : c'est la dernière fois que je monte Pégase. La dernière fois peut-être que je monte un cheval de sa qualité.

La phrase ne cessait de retentir en elle, lancinante, au rythme du son des sabots sur la route. La dernière fois. La dernière fois. La dernière fois...

Elle regarda la campagne environnante. Les haies étaient couvertes de feuilles fraîchement écloses. Les prés verdissaient avec une luxuriance printanière. Des primevères surgissaient de la mousse des talus et des tapis d'anémones blanches et virginales s'épanouissaient dans le sous-bois.

La dernière fois!

— Oh, Pégase, chuchota Candida en se penchant sur l'encolure du cheval, comment pourrai-je me séparer de toi? Pourquoi a-t-il fallu en arriver là?

Les larmes lui montèrent aux yeux et elle se mordit les lèvres pour se maîtriser. A quoi bon pleurer? La situation était sans espoir. Elle n'avait aucun moyen de sauver Pégase ni de se sauver elle-même.

Elle aurait dû prévoir qu'il en serait ainsi dès la mort de sa mère, un an plus tôt. Les médecins avaient parlé de consomption faute d'un meilleur terme. Mais Candida savait à quel point sa mère avait lutté pour dissimuler ses souffrances à son mari, et sa faiblesse qui s'aggravait de jour en jour.

Aujourd'hui, Candida songeait qu'elle aurait dû se douter que son père, cet être gai, affectueux, mais dénué de caractère, serait incapable de lui survivre et que son univers s'effondrerait sitôt que le soutien de sa femme lui ferait défaut.

Il s'était mis à boire à l'auberge du village tous les soirs. Candida avait compris que ce n'était pas par désir d'y retrouver des compagnons, auxquels il ne s'intéressait pas, mais parce que le vide de son foyer lui était insupportable. Il redoutait par-dessus tout la chambre à coucher dans laquelle il lui fallait désormais dormir sans sa femme. Candida avait tenté de le réconforter, mais il était comme un homme subitement frappé de cécité, prisonnier des ténèbres.

— Pourquoi m'a-t-elle quitté? criait-il furieusement lorsqu'il était ivre.

Ou encore :

— Où est-elle allée?

Lorsque Candida l'aidait à monter l'escalier pour aller se coucher, il appelait « Elisabeth, Elisabeth! » et sa voix retentissait en lugubres échos dans la maison vide.

Candida songea qu'elle aurait dû se douter, le dernier soir où il avait quitté la maison, qu'elle ne le reverrait pas vivant. La journée avait été froide et pluvieuse et, au crépuscule, l'averse s'était mise à crépiter.

— Reste à la maison ce soir, avait-elle imploré lorsqu'elle l'avait entendu dire au vieux Ned de seller Junon, sa jument baie.

— J'ai un rendez-vous, avait-il répondu en détournant les yeux.

Elle ne savait que trop bien que son rendez-vous était à l'auberge avec une bouteille de tord-boyaux.

— J'ai fait du feu dans la bibliothèque, avait-elle insisté tendrement. Je crois qu'il reste une bouteille de ton porto préféré. Je vais aller le chercher à la cave et tu pourras le boire à côté du feu.

— Seul? avait-il riposté d'un ton coupant.

Elle avait perçu sa détresse dans sa voix.

— Je te tiendrai compagnie, avait-elle proposé timidement.

Pendant un instant, elle eut l'illusion d'avoir réussi à percer le mur de douleur dont il s'entourait.

— Tu en serais bien capable, comme de m'aider à me coucher ensuite. Tu es une bonne fille, Candida.

Il l'avait embrassée et elle avait fugitivement cru qu'elle l'avait convaincu. Mais il l'avait repoussée avec brusquerie.

— J'ai un rendez-vous, avait-il répété, d'un ton désespéré qu'elle ne connaissait que trop bien.

C'était quand la conscience de la perte irrémédiable de sa femme le submergeait qu'il ne supportait pas de rester chez lui. La vue des objets familiers qui lui rappelaient son souvenir lui était intolérable. Il y avait son fauteuil favori et le ridicule petit coussin qu'elle avait brodé de perles. Les meubles sur lesquels elle posait les bouquets qu'elle avait arrangés. La table à ouvrage en marqueterie où elle puisait pendant qu'il parlait ou lui lisait des poèmes qu'elle s'efforçait d'admirer par amour.

Candida avait compris que c'était parce que son père se consacrait à la poésie que la famille de sa mère s'était opposée à leur mariage. Enfant, elle s'était souvent demandé pourquoi elle n'avait pas de famille alors que les autres filles de son âge avaient des grands-parents, des oncles, des tantes, des cousins. Très jeune, elle s'était rendu compte que l'isolement dans lequel elle vivait avec ses parents était anormal.

Ils étaient pauvres, mais, cela, elle l'avait accepté sans s'en étonner. Quelquefois, les éditeurs envoyaient de l'argent à l'improviste. On célébrait ces jours fastes par un festin accompagné de vin, luxe qu'ils se permettaient rarement. Sa mère se mettait au piano pour accompagner son père qui chantait. La maison semblait illuminée par l'argent que son père avait gagné grâce à ses œuvres.

Un jour, Candida avait remarqué :

— Le grand-père de Gladys lui a donné un poney pour Noël. Pourquoi n'ai-je pas de grand-père?

Sa mère avait regardé derrière elle avec appréhension.

— Chut, mon enfant. Il ne faut pas en parler maintenant. Ton père en serait très malheureux.

— Mais pourquoi?

Pendant des années, sa mère ne lui avait donné que des réponses évasives. Et puis un jour, une remarque lui avait fait comprendre que son père avait enlevé sa mère.

— Comme c'est romanesque! s'était-elle exclamée. Comme tu as été courageuse, maman! Raconte-moi ce qui s'est passé.

Sa mère avait secoué la tête.

— Je ne le peux pas, ma chérie. J'ai promis à ton père de ne jamais parler à personne de la vie que j'ai menée avant de le connaître.

— Il faut que tu me dises la vérité, maman, avait insisté Candida. Quand les enfants du village me parlent de leur famille, il me semble bizarre de ne pas en avoir une.

— Mais tu nous as nous, papa et moi. N'est-ce pas suffisant?

— Si, bien sûr, avait répliqué Candida.

Impulsivement, elle avait mis les bras autour du cou de sa mère.

— Je vous aime. Je ne pourrais pas trouver un meilleur père et une meilleure mère dans le monde entier. Je vous aime beaucoup mais...

Elle avait hésité.

— Mais tu es curieuse, avait conclu sa mère en souriant.

— Bien sûr, avait acquiescé Candida. Ne peux-tu me comprendre?

Elle avait douze ans à ce moment-là et elle se sentait souvent gênée de sentir que les autres trouvaient étrange que sa mère ne lui parle jamais de sa famille ni de l'endroit où elle avait vécu avant de venir habiter à Little Berkhamsted.

C'était un village du Hertfordshire qui n'avait même pas une centaine d'habitants, composé de quelques chaumières groupées autour d'une petite église romane. Les parents de Candida vivaient dans un petit manoir élisabéthain.

Les plafonds, supportés par des poutres de chêne, étaient bas. Le jardin était l'occupation favorite de sa mère. Contrairement aux autres dames du voisinage, elle s'en occupait elle-même. Elle y faisait pousser non seulement une profusion de fleurs mais des herbes dont elle tirait des remèdes pour les malades qui étaient trop pauvres pour avoir recours au médecin.

Dans le village, on l'aimait beaucoup. Lorsqu'elle était morte, on l'avait ensevelie dans le petit cimetière. Il n'y avait pas eu de luxueuses couronnes mais sa tombe avait été couverte de petits bouquets de fleurs, offerts avec amour et gratitude.

— Dis-moi la vérité, maman, avait insisté Candida à douze ans.

Sa mère s'était levée et, se dirigeant vers la fenêtre à meneaux, elle avait contemplé le jardin.

— Je suis si heureuse, avait-elle murmuré. J'espérais que le passé était oublié.

Candida était demeurée silencieuse. Sa mère avait repris :

— Je suppose que tu as le droit de savoir. Mais il faut que tu me promettes de n'en jamais parler à ton père. Toute allusion au passé le bouleverse et tu sais que je ne voudrais pour rien au monde lui causer un chagrin.

— Non, bien sûr, maman. Je te promets que, si tu me fais confiance, je ne trahirai jamais ce secret.

— Cela semble bien loin. J'étais jeune, et je jouissais de beaucoup de choses que toi, ma chérie, tu ne connaîtras jamais. Bien entendu, j'avais les toilettes qui, pour une femme, sont ce qu'il y a de plus important dans ce mode d'existence.

— Oh, maman, comme j'aurais voulu te voir! s'était exclamée Candida. Comme tu devais être belle! Avais-tu une crinoline?

— Non, mais nos robes étaient gonflantes car nous avions de multiples jupons, avait répondu sa mère. Elles étaient peut-être plus seyantes et certainement plus confortables que l'énorme crinoline qui, d'après les magazines, est encore à la mode.

Il y avait eu un peu de nostalgie dans sa voix et Candida avait deviné qu'elle regrettait les soies, les satins, les bijoux, les fourrures, qui rehaussaient sa beauté plus que les robes modestes qu'elle confectionnait elle-même.

— C'était une vie très agréable, avait poursuivi sa mère, et j'avoue que j'avais du succès. J'avais beaucoup de soupirants, Candida, et le choix de mes parents s'était porté sur un homme que je ne nommerai pas mais qui était de sang noble et avait une distinction authentique.

— Etait-il beau? demanda Candida.

— Très beau, et l'on m'enviait d'avoir attiré son attention. Mais j'ai fait la connaissance de ton père...

Il y avait eu un long silence. Candida avait eu l'impression que sa mère l'oubliait.

— Je t'en prie, continue, maman. Ce n'est pas la fin de l'histoire, n'est-ce pas?

Sa mère avait tressailli.

— Non, ce n'en était que le commencement.

— Tu es tombée amoureuse de lui?

— Profondément et irrévocablement. Je ne peux pas expliquer pourquoi. Il était indéniablement séduisant, mais il n'avait pas la prestance ni la distinction de mon autre prétendant. Chose plus grave aux yeux de mes parents, il n'avait pas d'argent.

— Pas d'argent du tout?

— Juste de quoi subsister. Un oncle lui avait laissé un petit héritage. Mais nous avons pensé qu'il nous suffirait.

— Pourquoi faire?

— Pour en vivre et pour nous marier. Nous avions désespérément besoin l'un de l'autre.

— Mais pourquoi avez-vous été obligés de vous enfuir?

— Que de questions! s'était exclamée sa mère. Mais, comme je l'ai dit, tu as le droit de savoir. La vie eût été pour toi très différente si tu avais eu pour père l'homme que mes parents me destinaient.

— Mais je n'aurais pas été la même si j'avais eu un autre père que le mien, n'est-ce pas? avait remarqué Candida.

Sa mère l'avait prise dans ses bras et serrée contre elle.

— Non, chérie. Tu as trouvé les mots justes. Tu n'aurais pas été la même et moi je n'aurais pas passé toutes ces années merveilleuses en compagnie d'un homme que j'aime et qui m'aime de tout son cœur.

— Mais pourquoi avez-vous été obligés de vous enfuir? avait insisté Candida, résolue à connaître la fin de l'histoire.

— Mon père, ton grand-père, était fou furieux. C'était un homme arrogant et despotique, qui n'avait pas l'habitude qu'on le contrarie. Selon lui, il avait choisi le mari qui me convenait et n'avait pas l'intention de permettre à un poète inconnu et dénué de fortune de bouleverser ses projets. Mon père détestait la poésie. Il a jeté ton père dehors.

— Pauvre papa! L'a-t-il pris à cœur?

— Terriblement. D'autant plus que mon père l'a traité d'une façon aussi humiliante que brutale. Il a menacé de le cravacher s'il m'adressait de nouveau la parole.

— Que c'est cruel!

— C'était cruel et ton père était l'homme le moins fait pour supporter un tel traitement. C'était un être trop sensible, trop honnête, pour ne pas être blessé par une agression aussi sadique.

— Ainsi, tu n'avais plus la possibilité de le voir?

— Je l'ai revu, avait riposté sa mère, d'un ton de triomphe. Je suis allée le retrouver, la nuit, chez lui. C'était contraire à toutes les convenances, mais ton père avait été traité d'une façon scandaleuse. Nous savions qu'il ne nous restait qu'une solution : partir ensemble.

— Comme c'était courageux de votre part.

— J'avais peur que ton grand-père ne nous empêche de nous marier, mais je n'avais pas besoin de me faire du souci à ce sujet. A l'instant où j'ai refusé d'accéder à son désir, je suis morte pour lui.

— Comment le sais-tu? avait demandé Candida. Lui as-tu parlé ensuite?

— Non, je ne le pouvais pas. Mais un an plus tard, lorsque tu es née, j'ai écrit à ma mère. Bien entendu, je ne l'ai pas dit à ton père. Mais je savais que ma mère m'aimait et que, même si mon père ne me pardonnait pas, elle me considérait toujours comme sa fille.

— A-t-elle répondu?

Sa mère avait secoué la tête.

— Non, ma chérie. Mon père a dû trouver la lettre avant elle et me l'a renvoyée sans l'ouvrir.

— Comme c'était méchant.

— J'aurais dû m'y attendre. Je savais qu'il était impossible de revenir en arrière, qu'il me fallait oublier le passé comme ton père me l'avait demandé.

— As-tu jamais regretté de t'être enfuie avec papa? demanda Candida à voix basse.

Une fois de plus sa mère l'avait serrée dans ses bras.

— Jamais, ma chérie, jamais! Je suis si heureuse et ton père est si bon pour moi. Aucune femme ne peut avoir un mari plus généreux, plus attentionné, plus aimant. Je regrette simplement pour toi que nous soyons si pauvres. J'aurais voulu que tu jouisses de la vie mondaine, des bals, des toilettes, que j'ai eus. Mais il ne sert à rien de désirer l'impossible et je ne peux que prier Dieu que tu sois aussi heureuse que je l'ai été.

— Je suis heureuse, et tu sais combien je vous aime, papa et toi, avait déclaré Candida, émue jusqu'aux larmes.

— Dans ce cas, si tu aimes vraiment ton père, il ne faut jamais reparler de ceci, avait dit sa mère. Chaque fois qu'il se souvient de la façon humiliante dont on l'a traité, il est profondément malheureux. Il a peur aussi que je ne compare notre situation matérielle actuelle à la vie que je menais quand nous nous sommes connus.

Elle avait souri.

— Il a bien tort. Aucune fortune au monde ne pourrait acheter ce que je possède. Mais chaque fois qu'il est question du passé ton père désespère de ne pouvoir m'offrir toutes les choses dont je jouissais.

— Je comprends, maman. Mais tu ne m'as pas dit quel était ton nom de jeune fille.

À sa surprise, sa mère avait serré les lèvres. Sa voix était devenue dure.

— Je m'appelle Elisabeth Walcott et je n'ai pas d'autre nom. Ne me demande plus rien, Candida.

Ce n'était qu'une fois seule, en réfléchissant à tout ce qu'elle venait d'apprendre, que Candida s'était demandé qui sa mère avait été. Elle s'était souvent posé la question. Il était évident que son grand-père avait été riche. Il avait dû être un homme en vue.

En refusant de lui en dire davantage, sa mère avait aiguisé sa curiosité, mais elle s'était montrée si ferme que Candida n'avait pas osé revenir à la charge, bien que son imagination ne cessât de travailler.

Quelquefois, elle se racontait que son grand-père avait été un prince ou un duc, qu'il décidait de pardonner à sa mère et qu'il venait les voir en leur offrant la vie luxueuse qui était hors de portée de leur bourse.

Ou encore, c'était son père qui devenait subitement célèbre. Ses recueils se vendaient non plus par centaines mais par milliers d'exemplaires. Du jour au lendemain, il était l'égal de lord Byron, fêté et acclamé. Sa mère pouvait de nouveau s'acheter de belles toilettes et des bijoux. Candida ne désirait rien pour elle-même. Il lui suffisait d'avoir Pégase, que son père lui avait acheté alors qu'il n'était qu'un poulain.

Pégase était un cadeau d'anniversaire, acquis d'un marchand itinérant. De petit animal adorable, cabriolant avec gaucherie sur de longues pattes, il s'était transformé en un étalon d'un noir de jais, d'une beauté et d'une élégance exceptionnelles. Candida savait que, lorsqu'elle montait Pégase, tous ceux qu'elle rencontrait l'enviaient et l'admiraient. Pourtant, aujourd'hui, elle devait s'en séparer.

Il ne lui restait rien d'autre à vendre. Son père s'était cassé le cou en sautant une barrière à son retour de l'auberge. Il avait fallu abattre la jument qui avait deux jambes brisées.

Candida avait découvert que la maison était hypothéquée. Elle avait dû vendre les meubles pour désintéresser les créanciers. Elle n'en avait tiré qu'une somme dérisoire. Les objets que sa mère avait astiqués et chéris avaient été achetés par les villageois par égard pour sa mémoire plutôt que parce qu'ils attachaient de la valeur au bois patiné et aux sculptures dont la dorure s'était écaillée. Pourtant, certains d'entre eux avaient appartenu aux parents de M. Walcott, morts lorsqu'il était très jeune, et Candida avait toujours cru que c'était des meubles de prix.

Elle s'était aperçue que la valeur sentimentale que l'on attribuait aux objets était une chose et leur valeur marchande, une autre. Une fois que toutes les dettes avaient été payées, il ne lui était rien resté, sinon quelques affaires personnelles ayant appartenu à sa mère, et Pégase.

Tout d'abord, à l'idée de vendre Pégase, elle avait été prise de panique. Mais elle s'était rendu compte qu'il lui fallait pourvoir aux besoins du vieux Ned. Il avait été au service de ses parents depuis leur mariage, tenant lieu de valet de chambre, d'homme à tout faire, de bonne d'enfant, et de cuisinier. A près de soixante-dix ans, il était trop vieux pour trouver un autre emploi. Il avait besoin d'un petit revenu pour vivre, et la seule façon de le lui procurer était de vendre Pégase.

C'était Ned qui lui avait dit qu'il y aurait une foire aux chevaux à Potters Bar. Absorbée par le chagrin que lui inspirait la mort de son père, elle avait eu besoin de toute son énergie pour faire face à l'hypothèque, régler les factures des fournisseurs et choisir parmi les quelques vêtements et les livres que sa mère avait laissés ceux qu'elle conserverait pour elle-même.

— Une foire aux chevaux à Potters Bar? avait-elle répété, l'esprit ailleurs.

— Oui, mademoiselle Candida. C'est une foire annuelle, qui attire les marchands et des aristocrates londoniens. Il paraît qu'on y obtient souvent un meilleur prix pour les chevaux que partout ailleurs.

Candida en eut un coup au cœur, et en éprouva une telle douleur qu'elle dut réprimer un cri. Mais elle comprit, en voyant les yeux pleins de sollicitude du vieil homme, qu'il pensait à son avenir à elle. Il lui fallait de l'argent pour vivre, ou du moins subsister jusqu'à ce qu'elle eût trouvé un emploi.

— Je suppose que je pourrai me placer comme gouvernante, murmura Candida, tout en se demandant comment elle y parviendrait sans références.

Mais quoi qu'elle décidât d'entreprendre, il fallait avant tout vendre Pégase. Elle ne pouvait pas errer d'un endroit à l'autre avec son cheval. En outre, elle devait s'assurer que Ned ne mourrait pas de faim. C'était presque un devoir sacré que lui imposait sa mère.

— C'est un si brave homme, disait Elisabeth Walcott. Que deviendrions-nous sans lui, Candida? Il n'y a rien qu'il ne sache faire.

C'était effectivement Ned qui veillait à ce qu'il y eût toujours du feu dans la maison, grâce au vieux bois qu'il ramassait sans rien débourser dans les propriétés environnantes. C'était Ned qui rapportait un lapin pris au collet quand le garde-manger était vide.

— Ce n'est pas du braconnage, au moins? demandait Mme Walcott épouvantée à l'idée des lourdes peines qui frappaient les contrevenants.

— Je ne l'ai pas attrapé dans la propriété d'autrui, si c'est ce que vous voulez dire, madame. Si la pauvre bête s'est introduite chez nous, elle est victime d'elle-même.

Il arrivait qu'un faisan « s'égare » de cette façon et plus d'une fois du pâté de corneilles les avait aidés à survivre pendant les périodes de vaches maigres. C'était toujours Ned qui fournissait le nécessaire. Candida ne pouvait pas le laisser aller à l'hospice parce qu'il était trop vieux pour trouver un autre emploi.

« Moi, je suis jeune, songea-t-elle. Je me débrouillerai. »

Lorsqu'elle arriva à Potters Bar et vit les chevaux se dirigeant vers la foire, dont l'animation et le tumulte l'étourdissaient, elle eut l'impression de mener Pégase à l'équarrissage.

On avait fabriqué un enclos de fortune au moyen de charrettes de foin à l'intérieur duquel on exhibait les chevaux pour les ramener ensuite à l'extérieur. Certains étaient des animaux à demi sauvages conduits par un Gitan aux yeux sombres ou par un valet de ferme mâchonnant un brin de paille.

D'autres avaient une robe luisante à force d'être bouchonnée, des crinières et des queues soigneusement brossées. Ils étaient montés par des palefreniers portant la livrée d'un hobereau local ou par des fils de marchands aux bottes bien astiquées.

La place était une véritable Babel où s'entrecroisaient des voix innombrables ponctuées par les rires bruyants de ceux qui avaient été se rafraîchir à l'auberge et par les cris aigus des enfants qui se poursuivaient, excités par l'agitation des adultes, au risque d'être piétinés par un cheval, en bousculant les assistants.

Pendant un moment, Candida fut complètement désorientée. Elle n'avait envie que d'une chose : s'en retourner chez elle. Puis elle se souvint qu'elle n'avait plus de foyer. La maison était déjà la propriété d'autrui et, dès le lendemain, il lui faudrait la quitter en emportant les quelques objets qui lui restaient. Ce fut avec soulagement qu'elle aperçut Ned qui l'attendait à l'entrée de l'enclos.

— Ah, vous voilà, mademoiselle Candida.

Il prit la bride de Pégase.

— Je me demandais ce qui vous était arrivé.

— Je n'ai pas eu le cœur de me presser, répondit Candida avec honnêteté.

— Je m'en doute, mademoiselle. Descendez de cheval. J'ai remarqué un acheteur qui s'y intéressera peut-être. Il a déjà retenu deux ou trois belles bêtes.

— C'est ça, montrez-lui Pégase vous-même, dit Candida en se laissant glisser à terre.

Elle tendit la main pour caresser le cheval, qui effleura aussitôt sa nuque de ses naseaux, comme il avait l'habitude de le faire. Elle en fut bouleversée.

— Emmenez-le, Ned, dit-elle d'une voix brisée. Je ne peux pas supporter de le voir partir.

Elle se perdit dans la foule, les yeux pleins de larmes. Elle ne voulait pas savoir ce qui allait se passer. Elle perdait le dernier être qui lui tenait à cœur. D'abord sa mère, puis son père et maintenant Pégase. Ils avaient été tout son univers. Désormais, il ne lui restait rien, sinon un sentiment de vide et de désespoir qui lui donnait envie de mourir pour mettre un terme à cette souffrance.

Elle n'eut pas conscience du temps qui s'écoula tandis qu'elle regardait sans la voir ni l'entendre la foule qui s'agitait autour d'elle, totalement absorbée par son chagrin. Subitement Ned réapparut.

— L'homme désire acheter Pégase, mademoiselle. Vous feriez mieux d'aller lui parler. Je l'ai poussé à en offrir soixante-quinze guinées, mais je pense qu'il en donnerait peut-être davantage en vous voyant.

— Soixante-quinze guinées! répéta Candida.

— Ce n'est pas suffisant pour Pégase. Il en vaut au moins cent. Vous devriez aller parler avec ce monsieur, mademoiselle Candida.

— Vous avez raison, je vais lui parler.

Candida pensa que, si elle vendait Pégase, elle devait en obtenir un juste prix. Le céder pour la maigre somme de soixante-quinze guinées, c'était lui faire injure. Ned disait la vérité en affirmant qu'il n'y avait pas, dans toute la foire, un cheval qui lui arrivât à la cheville. Il n'y avait pas dans le monde entier un cheval qui pût rivaliser avec Pégase.

Candida, sans autre discussion, suivit Ned qui la conduisit vers une extrémité de la place où elle aperçut Pégase qu'un palefrenier tenait par la bride. Près de lui se trouvait un homme qui était probablement l'acquéreur éventuel de son cheval.

Dès le premier abord, Candida se rendit compte à quel type d'homme elle avait affaire. Qu'il fût habitué aux chevaux était évident. Son visage long, ridé, tanné, lui conférait une vague ressemblance avec eux.

La coupe de son habit et de ses culottes, ses jambes nerveuses dans des bottes bien cirées, le signalaient comme un cavalier accompli, capable de fatiguer une meute. Il ne faisait pas de doute qu'un tel homme était à même d'apprécier les qualités d'un cheval et ne commettait pas d'erreur.

— Cette dame est la propriétaire de Pégase, monsieur, dit Ned.

Candida lut une expression d'étonnement sur le visage de l'homme.

— Je suis le capitaine Hooper, madame. Je m'intéresse à votre cheval.

— L'achetez-vous pour le monter vous-même? demanda Candida de sa voix douce.

Elle se rendit compte qu'il ne s'attendait pas à cette question.

— Je possède une écurie de louage, madame. Mes clients appartiennent à l'aristocratie. Je puis vous assurer que votre cheval sera bien soigné. Les employés connaissent leur travail.

— Et vous garderez Pégase?

— A moins qu'on ne m'en offre beaucoup d'argent. Dans ce cas, il fera partie de l'écurie de quelque duc. C'est un bel animal. Je vous promets, madame, qu'on n'en fera pas un cheval de poste.

Pégase caressa de nouveau Candida de ses naseaux. Elle tapota son encolure puis se tourna vers le capitaine Hooper en s'efforçant de le jauger.

— Je vous crois, mais ce cheval est tout à fait exceptionnel.

Il esquissa un sourire sceptique, comme pour écarter une affirmation trop souvent entendue. Impulsivement, elle ajouta :

— Attendez, je vais vous en faire la démonstration.

Elle fit signe à Ned qui comprit aussitôt. Il l'aida à sauter en selle. Prenant les rênes, Candida incita Pégase à se diriger vers un champ, à l'écart de la foule, où les fermiers avaient garé leurs charrettes. Il n'y avait là que quelques badauds et des chevaux attendant le retour de leurs propriétaires.

Candida fit parader Pégase, d'abord au trot ordinaire, puis en effectuant des exercices de haute école. Il allongea le pas, s'agenouilla, se releva, tourna sur lui-même dans un sens puis dans l'autre et finalement, lorsqu'elle l'effleura de sa cravache, il se cabra en avançant sur ses postérieurs.

Elle lui fit faire une dernière fois le tour du terrain et revint vers le capitaine Hooper.

— Ce n'est qu'un petit échantillon de ce qu'il sait faire, affirma-t-elle. Vous devriez le voir sauter. Il est capable de franchir n'importe quel obstacle comme s'il avait des ailes.

Dans son ardeur à démontrer les qualités de Pégase, elle ne s'était pas rendu compte que le capitaine Hooper s'était intéressé à elle tout autant qu'au cheval. Tandis qu'elle le regardait du haut de l'étalon noir, il acheva de la détailler, remarquant l'ovale parfait du visage qu'encadrait, sous un chapeau délavé, une chevelure comme il n'en avait jamais vu.

Elle aurait dû être blond pâle, de la couleur du blé mûr, mais elle avait des reflets cuivrés, comme si elle retenait les rayons du soleil.

C'était peut-être ce soupçon de roux qui donnait à la peau de Candida une blancheur de lys. C'était une peau lisse, satinée, sans défaut, qu'on n'eût pas attendu chez une jeune fille qui avait passé sa vie au grand air. N'était-ce son accoutrement minable et ses bottes usées, le capitaine Hooper n'eût jamais cru qu'une femme pût avoir un teint pareil sans recourir à des artifices.

Si la chevelure et la peau de Candida étaient d'une beauté exceptionnelle, ses yeux étaient plus étonnants encore. Frangés de cils sombres, ils semblaient immenses dans son visage délicat. Le capitaine Hooper ne parvenait pas à décider de leur couleur.

Au premier abord, ils lui avaient paru verts. Mais en cet instant où elle s'inquiétait de sa décision, ils étaient presque violets.

« Mon Dieu, que cette femme est belle », songea-t-il.

Lorsque Candida mit pied à terre, il lui demanda à brûle-pourpoint :

— Pourquoi vendez-vous votre cheval?

L'expression d'animation provoquée par le plaisir que Candida avait pris à faire parader Pégase disparut. Son visage devint sombre.

— J'y suis obligée, répondit-elle brièvement.

— Je suis sûr que vous pourriez convaincre votre père de le conserver. Vous êtes parfaitement assortis.

— Mon père est mort. Je ne me séparerais certainement pas de Pégase si je n'y étais obligée.

— Je vous crois et je vous comprends. Je me suis occupé de chevaux toute ma vie. On s'y attache, surtout lorsqu'on en possède un de cette qualité.

— Ainsi, vous le comprenez.

Cette expression de sympathie lui avait fait

monter les larmes aux yeux. Le capitaine Hooper songea qu'il n'avait jamais vu regard plus expressif, ni femme qui eût plus besoin du réconfort d'un homme.

— C'est bien dommage que vous ne puissiez pas montrer Pégase vous-même, dit-il subitement. Vous en obtiendriez un bien meilleur prix à Londres que celui que je peux vous offrir, à condition que vous le montiez vous-même.

— Je le ferais volontiers. Mais comment? Je n'ai jamais été seule à Londres.

— Que dirait votre famille si je vous proposais de vous y emmener?

— Je n'ai pas de famille. Ned, faites faire le tour du champ à Pégase. Je voudrais que le capitaine Hooper le voie encore une fois de loin.

Ned prit le cheval par la bride. Sitôt qu'il fut hors de portée de voix, Candida expliqua :

— Je serai franche. Il me faut pourvoir aux besoins de Ned. Il a servi mon père et ma mère pendant vingt et un ans. Je ne peux pas le laisser sans le sou. Le prix que vous voudrez bien me donner pour Pégase assurera ses vieux jours. Je ne peux que vous prier d'être généreux.

— Et que deviendrez-vous? demanda le capitaine Hooper.

Elle détourna les yeux et regarda Pégase, à l'autre bout du terrain qui, dans un accès d'exubérance, faisait semblant d'être effrayé par un bout de papier volant au vent.

— Je trouverai un emploi quelconque. Peut-être pourrai-je me placer comme gouvernante ou dame de compagnie.

Le capitaine Hooper donna un coup de cravache à ses bottes. Elle sursauta.

— Je vous donne cent livres pour Pégase si vous acceptez de venir avec moi à Londres et de l'exhiber dans mon manège.

— Votre manège?

— J'ai une école d'équitation en plus de mon

écurie. Beaucoup de chevaux que j'achète ont besoin d'un supplément de dressage avant de pouvoir être montés en amazone dans les rues de Londres et à Hyde Park.

— Et je pourrais vous être utile?

— Mais oui. Vous pourriez montrer ce que Pégase sait faire à ceux qui s'y intéressent.

— Cela me plairait. C'est trop beau pour être vrai. Etes-vous sûr que je ne serai pas un fardeau pour vous?

— Tout à fait sûr.

— Mais... je n'ai pas les vêtements qu'il faudrait.

— J'y veillerai. Vous pouvez vous fier à moi.

— Je ne sais comment vous remercier! s'exclama Candida. Je pourrai rester avec Pégase! Vous ne savez pas ce que cela signifie pour moi.

— Mais si, je vous comprends, répondit le capitaine Hooper d'un ton troublé. Il faut que je retourne à Londres. Si vous voulez bien voyager en ma compagnie, cela facilitera les choses.

— Maintenant? Habillée comme je le suis?

— Je veillerai à ce que vous ayez le nécessaire sitôt que nous arriverons à Londres. Si vous avez des bagages, votre valet peut vous les apporter demain. Je lui paierai le voyage et je m'en vais lui remettre un billet à ordre de cent livres, qu'il pourra encaisser dans une banque. Il ne serait pas sage qu'il ait une telle somme sur lui.

— Non, je comprends. C'est gentil à vous d'y penser.

— Je suis habitué à traiter ce genre d'affaire. Pour être franc, madame, je n'ai jamais trouvé dans une foire de campagne un cheval aussi magnifique, ni une propriétaire aussi séduisante.

Candida rougit à ce compliment. L'espace d'un instant, son teint de lys se colora de rose. Puis elle lui sourit et le capitaine Hooper se dit de nouveau qu'il n'avait jamais vu d'yeux aussi enchanteurs.

« J'ai mis la main sur un trésor », songea-t-il en la suivant du regard tandis qu'elle courait annoncer la nouvelle à Ned.

Même ses vêtements mal coupés et élimés ne parvenaient pas à masquer sa grâce, et le capitaine Hooper, qui n'était pas un sentimental, marmonna à voix basse :

— Elle est la séduction personnifiée et elle s'en repentira. Pauvre gosse!

2

Candida, assise à côté du capitaine Hooper dans le phaéton noir et jaune qui les emportait vers Londres, avait l'impression qu'un monde nouveau s'ouvrait à elle.

Les champs verdoyants de Potters Bar disparurent bientôt pour faire place aux maisons entourées de jardins des faubourgs de Londres. La circulation plus dense annonçait qu'ils approchaient de la capitale, qu'elle n'avait vue que deux fois.

C'était les chevaux qui l'intéressaient avant tout. Deux rouans bien assortis tiraient une massive voiture familiale, étincelante de cuivre, dirigés par un cocher portant un chapeau à cornes et une cape à collets. Les véhicules plus aristocratiques étaient accompagnés par deux valets poudrés siégeant à l'arrière.

De temps à autre, elle apercevait derrière la vitre un joli minois ou le nez rougeoyant de quelque riche propriétaire.

Puis ses yeux étaient attirés par les bais d'une voiture ouverte au soleil de l'après-midi dans laquelle une élégante se prélassait à l'abri d'une minuscule ombrelle garnie de dentelle.

Elle admirait aussi les cavaliers, en se demandant si Pégase pourrait rivaliser avec leurs montures bien soignées. Mais elle se rassurait aussitôt. Il n'avait pas son pareil.

— Il n'y a pas de boutiques dans ce quartier, dit le capitaine Hooper qui, en la voyant regarder avec intérêt autour d'elle, pensait que, comme toutes les femmes, elle était à l'affût de vitrines de magasins de mode.

— Les boutiques sont au centre de Londres?

— Celles qui vous intéressent, oui. J'habite à Saint-John's Wood, du côté du parc. C'est un quartier à la mode en ce moment.

Il lui jeta un regard aigu, comme s'il attendait qu'elle conteste cette affirmation ou qu'elle comprenne ce qu'elle impliquait. Mais lorsqu'elle se tourna vers lui, son visage n'exprimait rien de plus que l'intérêt innocent que toute jeune fille aurait manifesté.

— C'est un bon emplacement pour votre écurie.

Le capitaine Hooper réprima un sourire.

— Mes clients sont mes voisins.

— C'est très commode, commenta Candida, dont l'attention était distraite par un dandy en haut-de-forme s'efforçant de maîtriser son cheval qui avait fait un écart devant une voiture de marchand des quatre-saisons.

C'était l'un des palefreniers du capitaine Hooper qui s'était chargé de conduire Pégase à Londres. Le capitaine avait acheté trois autres chevaux, mais Candida avait compris, sans qu'il fût besoin de le préciser, que le sien avait été confié au palefrenier en chef.

Elle avait eu le cœur serré en prenant congé de Ned. Mais il lui était si reconnaissant de la grosse somme d'argent dont elle lui avait fait don qu'il en était incohérent.

— Vous pourrez louer la chaumière du village qui vous plaisait tant, avait dit Candida, et je suis sûre que vous trouverez des petits travaux qui vous rapporteront de l'argent de temps à autre.

— Ne vous inquiétez pas pour moi, mademoiselle Candida. C'est pour vous que je me fais des soucis.

— Je n'ai rien à craindre, avait affirmé Candida, avec une feinte assurance dont le vieux Ned n'avait pas été dupe.

— Etes-vous sûre d'avoir choisi la bonne solution? avait-il demandé en baissant la voix afin que le capitaine Hooper ne pût l'entendre.

— C'est une chance pour moi de pouvoir rester avec Pégase. Et le capitaine Hooper semble un brave homme.

Ce n'était pas exactement le mot qui convenait pour le définir. Elle ne savait trop ce qu'elle en pensait. Pourtant, il semblait franc et sans détour. D'ailleurs, si elle n'avait pas accepté son offre, quelle autre possibilité lui restait-il?

Elle ne savait rien des bureaux de placement où les femmes du monde recrutaient leur personnel, et elle ne pensait pas qu'arrivant à Londres mal fagotée et sans références elle y trouverait autre chose qu'un emploi des plus médiocres. Elle était certaine aussi que sa jeunesse et sa beauté la desserviraient. Elle n'avait aucune vanité, mais elle se rendait compte que les maîtresses de maison n'engageaient pas volontiers une jeune personne séduisante qui n'était pas destinée par naissance à être une domestique.

Elle n'avait vraiment pas d'autre choix que d'accepter l'offre du capitaine Hooper et elle lui était reconnaissante de lui permettre de conserver momentanément Pégase.

Ils atteignirent les belles avenues de Saint-John's Wood vers 6 heures du soir. Le capitaine Hooper engagea adroitement le phaéton dans une étroite ruelle, flanquée d'écuries des deux côtés de la chaussée pavée. Puis il se dirigea vers un porche surmonté d'une enseigne : « Écurie de louage Hooper ».

Ils franchirent le seuil et Candida se trouva dans une cour carrée, entourée de tous côtés par des box occupés par des chevaux qui les regardaient par-dessus les demi-portes. Elle eut l'impression que c'était tous des chevaux de race. Elle n'en avait jamais vu autant dans un même endroit. Lorsqu'elle descendit de voiture, il lui sembla que les chevaux lui manifestaient un intérêt particulier et l'accueillaient avec plus d'enthousiasme que n'auraient pu le faire des êtres humains.

Sans attendre le capitaine Hooper, elle se dirigea vers le box le plus proche et caressa son occupant, un jeune bai. Il était calme et doux. C'était le genre de cheval que n'importe quelle cavalière, même inexpérimentée, prenait plaisir à monter.

Elle jeta un coup d'œil de chaque côté. Il y avait des chevaux bais, des alezans, des gris, des noirs. Certains avaient une tache blanche sur la tête. D'excitation, le sang lui monta aux joues. Elle se tourna vers le capitaine Hooper, les yeux brillants :

— Je n'aurais pas cru que vous aviez autant de beaux chevaux. Cela ne m'étonne pas que vous ayez une clientèle de gens riches. Je suppose que c'est la meilleure écurie de tout Londres.

— C'est peut-être la plus connue, répondit le capitaine Hooper.

Sa voix était lourde de sous-entendus, mais Candida n'y prit pas garde.

— Quand Pégase arrivera-t-il? Et où allez-vous le loger?

— Il y a quelques boxes vides tout au fond. C'est pour vous qu'il me faut trouver un logement.

— C'est vrai. Mais je n'ai aucun bagage.

— Je ne l'ai pas oublié. Ne vous inquiétez pas. Je vais aller voir une dame qui sera ravie de vous accueillir et de vous fournir tout le nécessaire. Mais je voudrais tout d'abord m'entretenir seul avec elle.

— Mais bien entendu.

— Je vous demanderai de m'attendre dans le manège.

Il traversa la cour des écuries. Candida le suivit. Il y avait un second porche à l'autre extrémité, qu'elle n'avait pas remarqué. Il était moins impressionnant que celui qui donnait sur la rue, mais, lorsque le capitaine Hooper ouvrit la porte, Candida poussa une exclamation d'émerveillement.

Le manège prenait le jour par un toit en verre. Candida l'ignorait mais c'était une copie de l'école d'équitation impériale de Vienne.

Elle apprit plus tard que l'édifice avait été construit par un pair vieillissant qui s'était entiché de la beauté et des talents équestres de sa maîtresse. Il aimait la regarder faire parader ses chevaux, mais comme il préférait la voir monter nue, telle la légendaire lady Godiva, il avait fallu un lieu à l'abri des yeux indiscrets.

A la mort de ce pair du royaume, le capitaine Hooper avait racheté le bâtiment pour une somme beaucoup plus modeste que celle qu'il avait coûtée. Les murs lambrissés étaient peints en bleu pâle et la tribune du haut de laquelle le pair admirait sa Vénus était garnie de sièges recouverts de brocart bleu. Les murs recouverts de glaces permettaient d'admirer sous tous les angles les chevaux et celles qui les montaient.

— Quel endroit insolite! s'exclama Candida.

— Il est utile. Vous pourrez y exercer Pégase. Comme vous le voyez, j'ai fait ériger quelques obstacles particulièrement hauts. Actuellement, j'ai deux ou trois chevaux que je pourrai vendre à un prix considérable si les acquéreurs éventuels ont l'assurance qu'ils franchiront toutes les barrières.

— Pégase en est capable, affirma fièrement Candida.

Puis elle se mordit les lèvres en se rendant compte que le cheval risquait d'être vendu s'il retenait l'attention de quelque riche amateur en quête d'un animal exceptionnel.

Comme s'il lisait dans sa pensée, le capitaine

31

Hooper, voyant son expression d'anxiété, la rassura :

— Ne vous inquiétez pas. Je n'envisage pas de vendre Pégase dans l'immédiat.

— Je vous en suis reconnaissante. Je ne sais comment vous remercier. Pégase est la seule chose qui me reste. Vous n'imaginez pas ce que j'ai ressenti en me rendant avec lui à la foire.

— Mais si, répliqua le capitaine avec bonté. Montez vous installer dans la galerie. Si quelqu'un vient, ce qui est improbable puisque le manège est fermé, ne vous montrez pas. Vous ne devez adresser la parole à personne, ni homme ni femme. Souvenez-vous-en.

— Je ne l'oublierai pas, répondit Candida, vaguement étonnée.

Il la regarda monter l'escalier qui menait vers la tribune avant de quitter le manège. Candida l'entendit refermer soigneusement la porte. Elle alla s'installer tout au bout de la tribune, dans un des fauteuils recouverts de brocart bleu. Un dernier rayon de soleil traversait la verrière. Elle regarda les obstacles, s'efforçant d'apprécier leur difficulté et imaginant qu'elle les franchissait avec Pégase.

Elle était si absorbée par ses pensées qu'elle tressaillit en se rendant compte que quelqu'un avait pénétré dans le manège. Elle n'avait pas entendu la porte s'ouvrir, mais elle vit une jeune femme montée sur un cheval plutôt nerveux qui tirait sur le mors tandis qu'elle se penchait pour parler avec un homme debout à côté d'elle.

— Je vais lui faire franchir les obstacles, dit-elle, et vous jugerez par vous-même ce dont Firefly est capable.

— Mais je vous crois sur parole, Làis, vous le savez bien, répondit l'homme. C'est le prix de l'animal que je trouve trop élevé.

Candida, se souvenant des recommandations du capitaine Hooper, se rencogna et se recroquevilla dans son fauteuil pour ne pas être vue. Il était improbable qu'on pût l'apercevoir du rez-de-chaussée. Elle voyait l'homme et la femme, mais il leur était beaucoup plus difficile de la distinguer d'en bas, tapie dans son coin.

Elle les observa avec intérêt et curiosité. La jeune femme qui montait le cheval bai était très jolie. Candida se dit qu'elle n'avait jamais vu une personne aussi séduisante.

Elle avait un visage avec des pommettes hautes et des yeux en amande qui frappaient d'autant plus que ses traits étaient accentués par un gros chignon noir, surmonté d'un énorme chapeau ceint d'un voile vert émeraude qui flottait derrière elle tandis qu'elle faisait prendre le trot à son cheval.

Elle portait une amazone verte, très ajustée. La jupe de velours, à chaque saut, démasquait une botte élégante, à haut talon, armée d'un éperon étincelant et pointu.

Chaque fois que le cheval approchait d'un obstacle, la cavalière le cravachait durement. Candida se rendit compte que c'était une de ces femmes qui prennent plaisir à affirmer leur domination sur un cheval et sont capables de pousser cette volonté de puissance jusqu'à la cruauté.

Par ailleurs, il ne faisait pas de doute que c'était une bonne cavalière. Elle montait avec brio. Elle tournait tout autour du manège, poussant le cheval jusqu'au galop entre les obstacles qu'elle franchissait avec une telle aisance que Candida dut se retenir d'applaudir lorsqu'elle immobilisa le cheval avec une dureté presque excessive.

— Bravo! s'exclama l'homme qui l'avait admirée. C'était une belle démonstration, Lais. Si quelqu'un mérite le titre de belle amazone, c'est bien vous.

— Votre compliment me flatte, my lord, riposta Lais d'un ton moqueur. Etes-vous enfin décidé à m'acheter ce cheval?

— Vous le savez bien. Mais Hooper abuse de la situation.

— Vous exagérez. Aidez-moi à descendre.

Un palefrenier surgit de l'ombre et prit le cheval par la bride. Lais lâcha les rênes et tendit les mains au jeune homme qui l'aida à sauter à terre. Candida étouffa une exclamation. Le flanc du cheval était rouge de sang. La cavalière avait dû user de son éperon à chaque saut.

« Comment peut-on être aussi impitoyable? » se demanda Candida. Si quelqu'un traitait Pégase de cette façon, elle ne le supporterait pas.

Dans la cour, l'homme, après avoir pris Lais dans ses bras, la tenait serrée contre lui. Le palefrenier avait emmené le cheval. Les bras de l'homme se resserrèrent autour du corps mince et racé de la femme et ses lèvres se collèrent à la bouche qui riait.

— Vous êtes un démon. Vous m'avez une fois de plus incité à dépenser plus d'argent que je n'en avais l'intention.

— Est-ce que je ne le vaux pas?

— Vous savez bien que si.

— Si vous n'en êtes pas convaincu, d'autres le sont, riposta la jeune femme froidement, en le repoussant.

Elle se dirigeait vers la porte.

— Le diable vous emporte! Vous savez aussi bien que moi que je ne puis rien vous refuser. Mais Dieu sait ce que mon père dira lorsque je serai ruiné.

— C'est votre affaire, déclara Lais, avec un sourire qui atténuait la dureté de ses paroles. Il faut que j'aille m'habiller pour le dîner.

— Vous dînez avec moi? demanda-t-il avec empressement.

— Je le suppose, répondit-elle avec une œillade provocante. A moins que je ne trouve une invitation plus tentante en rentrant chez moi.

— Sacrebleu, Lais, vous ne pouvez pas me traiter comme ça, protesta l'homme.

Puis la porte du manège se referma sur eux et Candida n'entendit plus rien.

Elle regardait la cour, ébahie par la scène à laquelle elle venait d'assister. Jamais elle n'avait entendu un homme user d'un langage aussi grossier en présence d'une dame et, maintenant que l'élégance de Lais ne la fascinait plus, Candida se rendit compte que son intonation n'avait pas été celle d'une femme cultivée.

« C'est peut-être une actrice », se dit-elle. Cela expliquerait qu'elle soit aussi séduisante et habillée d'une façon aussi voyante.

Elle n'avait guère fait attention à l'homme, mais elle se souvint que lorsqu'il avait fait allusion à son père, elle avait eu l'impression qu'il était très jeune. Lui aussi était vêtu à la dernière mode. Chapeau haut de forme incliné sur la tête, canne à pommeau d'or, pantalon clair avec un habit ample et un gilet flamboyant.

Candida savait que c'était la tenue des aristocrates à Londres, mais elle ne s'était pas rendu compte à quel point cet accoutrement était seyant.

Les répliques échangées par le couple étaient bizarres, mais il ne faisait pas de doute que cette Lais, qui qu'elle fût, savait monter à cheval...

A une courte distance de l'écurie de louage, le capitaine Hooper actionnait le marteau poli de la porte d'une maison à portique située dans une des rues tranquilles en bordure de Regent's Park. La porte fut ouverte presque aussitôt par un valet en perruque portant une livrée discrète, à boutons d'argent.

— Bonsoir, James. Mme Clinton peut-elle me recevoir.

— Elle est seule, monsieur.

— C'est ce que je voulais savoir. Je connais le chemin.

Il monta les marches de l'escalier deux par deux et ouvrit la porte du salon. La pièce était éclairée au gaz, mais la lumière tamisée faisait paraître la maîtresse de maison plus jeune et plus séduisante qu'elle ne l'était.

Cheryl Clinton était actrice lorsqu'elle avait été distinguée par un riche homme d'affaires. De sa protection, elle était passée à celle d'un aristocrate fortuné qui, à son tour, l'avait présentée à plusieurs autres personnalités bien connues dans les clubs de Saint-James's Street.

Ce n'était que lorsque ses charmes avaient commencé à se faner que Cheryl Clinton s'était mise à son compte. Son premier protecteur lui avait appris à faire fructifier l'argent. Les autres lui avaient permis d'acquérir l'expérience des goûts masculins en matière de féminité. Elle avait aussi découvert que les gens riches et les aristocrates n'aimaient pas avoir à faire d'efforts pour satisfaire leurs désirs.

Elle avait donc entrepris de mettre des hommes fortunés en rapport avec la jeune femme de leurs rêves qu'ils n'auraient pas eu l'énergie de chercher par eux-mêmes.

Cheryl Clinton avait connu dans sa jeunesse Mme Porter qui se vantait d'avoir présenté Harriet Wilson, la personne la plus célèbre de la profession, au duc de Wellington.

Plus tard, elle avait appris que Mme Porter avait fini ruinée. Elle n'avait pas l'intention d'encourir le même sort. Si elle gagnait de l'argent, elle saurait le garder.

Mme Clinton était convaincue qu'il était facile de gagner de l'argent si on savait en investir suffisamment. Elle s'était rendu compte que les hommes étaient toujours disposés à payer le summun du luxe et, si elle le leur fournissait, elle avait l'intention d'en exiger le meilleur prix.

Chaque soir, Cheryl Clinton se tenait dans le charmant salon de sa maison tranquille et bien tenue de Saint-John's Wood. Des messieurs venaient la voir. Ils parlaient de choses et d'autres en buvant une flûte ou deux de champagne.

Puis, cette formalité accomplie, ils venaient au fait :

— Je vois exactement ce qu'il vous faut, my lord, disait Mme Clinton en souriant. Je connais une jeune femme qui vous plaira. C'est une personne mariée dont le mari est en voyage. Vous la trouverez très accommodante.

Tout en parlant, elle faisait tinter une petite sonnette d'argent. James ouvrait la porte et elle lui remettait une note pour la jeune femme en question, qui n'habitait jamais très loin.

Elle continuait à boire du champagne et à bavarder avec son invité jusqu'à l'arrivée de la jeune femme que Sa Seigneurie emmenait dîner dans un de ces restaurants qui ont des cabinets particuliers.

Mme Cheryl Clinton avait le sens de la diplomatie. Elle était si connue dans le West End que c'était elle qui se chargeait de toutes les présentations importantes.

— Tiens, capitaine, quelle surprise! s'exclamat-elle. Je ne vous attendais pas ce soir.

— Je vous demande pardon de me présenter chez vous dans cette tenue, mais je reviens de la foire aux chevaux de Potters Bar et je n'ai pas pris le temps de me changer.

— Dans ce cas, vous avez quelque chose d'important à me dire. Asseyez-vous. Une flûte de champagne?

Le capitaine Hooper secoua la tête.

— Non, merci. Je profite de ce que vous êtes seule pour venir directement au fait. J'ai trouvé quelque chose d'inhabituel, je dirai même d'unique. Une fille jolie, naïve, et complètement dénuée d'expérience. Elle est très belle, beaucoup plus belle que toutes celles de mon écurie dont vous vous êtes occupée depuis dix ans.

— Je n'en crois rien. Qui est cette merveille de la nature?

— Une jeune fille de bonne famille. Elle a un

cheval à rendre fou un amateur. Le genre d'animal qu'on rencontre une fois dans la vie.

— Ce n'est pas le cheval qui m'intéresse.

— Je sais. Mais ils vont ensemble, et je vous assure que vous n'avez jamais vu un tel couple.

— Mais qui est-elle?

— Elle m'a raconté sa vie. C'est une orpheline de bonne famille. Son père s'est cassé le cou il y a dix jours. Elle n'a pas un sou vaillant.

— Ce n'est pas toujours un désavantage.

— Elle est également aussi innocente qu'un nouveau-né.

Mme Clinton haussa les sourcils.

— Je vous assure que c'est vrai, insista le capitaine Hooper devant son expression d'incrédulité. Elle a vécu à la campagne. Son père était un écrivain qui menait une existence de reclus. Elle ignore tout du monde. Je suis convaincu qu'elle n'a jamais entendu parler de belles amazones et qu'elle n'a pas la moindre idée de ce que signifie cette expression.

— Cela ne fait pas nécessairement partie de l'éducation des jeunes filles.

— Non. Mais vous voyez ce que j'essaie de vous expliquer. Il faudra la manœuvrer avec douceur sinon elle prendra peur. Je vous assure que, si beau que soit son cheval, sa valeur est décuplée quand c'est elle qui le monte.

— Et qu'attendez-vous de moi?

— Il faudrait que vous commenciez par lui offrir l'hospitalité.

— Impossible. Vous savez que je ne tolère pas de femmes chez moi.

— Cette jeune fille est différente. Comme je vous l'ai dit, c'est une dame. Il est impossible de la loger dans un hôtel ou une chambre meublée. D'abord, elle est beaucoup trop jolie. Si quelqu'un la voit, ils vont tous tourner autour d'elle. Je suis stupéfait qu'elle ait réussi à passer inaperçue jusqu'ici.

— Il faut qu'elle soit vraiment exceptionnelle pour vous avoir impressionné à ce point, remarqua Mme Clinton. Je croyais que vous aviez cessé d'être sensible aux charmes du sexe faible à force de le voir à l'œuvre. Du moins, c'est ce que vous m'aviez dit.

— Je préfère avoir affaire à un cheval qu'à une femme, c'est certain. Mais il y a de l'argent en jeu, madame Clinton, et vous le savez. Je peux obtenir mille guinées pour ce cheval si je vends la fille avec. Je pourrais même en exiger deux mille. Nous partageons moitié moitié comme d'habitude.

— De quoi a-t-elle l'air actuellement?

— D'une pauvresse qui s'habille chez le fripier. Je l'ai dissuadée de prendre ses autres vêtements. Ils ne doivent pas valoir mieux que ceux qu'elle a sur le dos. Il vous faudra l'habiller de pied en cap.

— Vous commencez à m'intriguer, capitaine Hooper. Je ne m'intéresse plus guère à ce genre de proposition en ce moment. J'ai trop à faire et plus de tourterelles attendant d'être défraîchies que d'amateurs. Bien entendu, la qualité n'est plus aussi bonne que du temps de la guerre de Crimée. Il fallait voir les noms qui figuraient sur ma liste. Mais je ne me plains pas.

— Je m'en doute. Depuis que les belles amazones ont pris l'habitude de se réunir au pied de la statue d'Achille, mon chiffre d'affaires a doublé.

— Pourtant, nous avons nos échecs. Vous rendez-vous compte, capitaine, que le marquis de Hartington a donné à Skittles une pension annuelle de deux mille livres et qu'elle ne lui a pas été présentée par moi?

— Je n'en savais rien.

— C'est ainsi, réplique Mme Clinton avec irritation. Skittles avait un protecteur que je lui avais procuré, mais elle s'est mis en tête de faire la conquête de Hartington. Elle s'est arrangée pour se heurter contre lui à Hyde Park et tomber à ses pieds. Quel grossier subterfuge! Mais Hartington a marché. Elle espère devenir un jour duchesse de Devonshire.

— Il faut lui rendre cette justice qu'elle n'a jamais eu peur devant aucun obstacle, si haut fût-il.

— La même chose est arrivée avec Agnès Willoughby. Elle vient d'épouser le jeune Windham, qui est fou mais très riche. Elle a daigné m'envoyer cinquante livres pour tous les services que je lui ai rendus. C'était au moins un geste. Windham, lui, ne m'a pas donné un sou. Il prétend avoir fait sa connaissance alors qu'elle était en compagnie de Kate Cook qui, si je ne me trompe, deviendra comtesse de Euston.

— Ma foi, je suppose qu'il y a un facteur de chance qui intervient dans vos affaires comme dans les miennes.

— Si vous êtes philosophe, moi je ne le suis pas, riposta Mme Clinton. Tenez, je voudrais vous citer un homme auquel j'aimerais faire rendre gorge.

— Puis-je deviner?

— Vous savez de qui je parle. Lord Manville m'a enlevé trois de mes meilleurs sujets. Il a installé Mary dans une villa fastueuse et lui a acheté trois chevaux.

— Mais pas chez moi!

— Mary en a conçu une telle vanité que, lorsque je l'ai rencontrée dans le parc où elle exhibait la voiture à poney qu'il venait de lui offrir, elle a feint de ne pas me reconnaître.

— Cette fille m'a toujours été antipathique, confirma le capitaine Hooper.

— Puis il y a eu Clarissa. J'ai dépensé cent cinquante livres pour cette fille et lord Manville me l'a enlevée avec autant de désinvolture qu'un bandit de grands chemins. Toute la ville parle de ses saphirs, alors que je ne suis jamais rentrée dans mon argent.

— Eh bien, si vous voulez donner une leçon à

Sa Seigneurie, en voici l'occasion. Il n'y a pas en Grande-Bretagne de meilleur juge de chevaux que lui. Nous n'avons pas beaucoup de temps. Si vous voulez bien m'écouter, voici mon idée.

On frappa à la porte. C'était James.

— Je vous prie de m'excuser, madame, mais Sa Grâce le duc de Wessex est en bas et souhaiterait vous voir.

— Introduisez Sa Grâce dans le petit bureau en le priant de bien vouloir m'attendre quelques instants.

— Bien, madame, dit James respectueusement en refermant la porte.

— Et maintenant, parlons sérieusement, reprit Mme Clinton.

Candida, qui attendait dans le manège, commençait à se sentir effrayée. Le crépuscule tombait et l'édifice se remplissait d'ombre. Elle prit subitement conscience de sa solitude. En femme, elle se rendait compte aussi de la différence qu'il y avait entre son accoutrement et l'élégance de Lais.

Elle n'avait jamais beaucoup pensé à ses vêtements car elle en avait très peu, mais, maintenant, elle se disait que son amazone était minable et que ses bottes n'étaient plus mettables. Les cheveux de Lais étaient coiffés avec art alors que les siens étaient tordus en un chignon grossier.

C'était une situation sans espoir. Comment pourrait-elle se tirer d'affaire à Londres? Comment pourrait-elle montrer Pégase à un public élégant? Les gens la tourneraient en dérision. Ce n'était pas dans cet accoutrement loqueteux qu'elle ferait ressortir la valeur de son cheval.

Elle eut subitement la nostalgie du passé, de son père qui, même lorsqu'il était ivre, se montrait gentil et plein d'attentions pour elle, de la modeste maisonnette, de Ned qui vaquait à ses besognes, de Pégase dans l'écurie délabrée, de la tranquillité et du sentiment d'indépendance et de liberté. En dépit du manque d'argent, d'amis, de beaux vêtements, elle avait été libre. Libre de galoper à travers la campagne, libre de faire tout ce qu'elle voulait. Quel avenir l'attendait désormais?

Elle éprouva un moment de panique. Peut-être n'aurait-elle pas dû accepter de venir à Londres. Peut-être devrait-elle s'enfuir. Sa mère eût-elle approuvé sa décision? Quels étaient les projets du capitaine Hooper pour elle? Et que savait-elle de cet homme?

Impulsivement, elle se leva, longea la tribune, descendit l'escalier, traversa la cour du manège. Elle s'apprêtait à ouvrir la porte lorsque le capitaine Hooper surgit. Il faisait trop sombre pour qu'il pût voir l'expression de son visage, mais il dut sentir son agitation car il dit d'un ton apaisant :

— Je suis désolé de vous avoir fait attendre. Tout est arrangé. Je vais vous conduire chez une dame qui va s'occuper de vous. Vous habiterez chez elle.

Il se rendit compte que Candida hésitait à le suivre.

— Eh bien? demanda-t-il.

— Je ne suis pas à ma place ici, balbutia Candida d'un ton effrayé. Il vaut mieux que je m'en retourne et que je cherche un emploi à la campagne.

— Vous avez peur? Mais il n'y a pas de raison. Vous allez avoir une vie agréable et confortable. Ecoutez, Candida, vous êtes une jeune fille très séduisante. Vous serez admirée, adulée, entourée... C'est ce que toute femme désire.

— Moi pas.

— Et que souhaiteriez-vous?

— Je voudrais me sentir en sécurité. Avoir un foyer.

— Cela viendra en son temps. Nous ne pouvons pas rester ici. J'ai fait ce que j'ai pu pour vous et, un jour, vous m'en serez reconnaissante.

Il posa sa main sur son épaule. Elle frissonnait. Il songea qu'elle était comparable à un jeune poulain qui fait ses premiers pas dans un pré sur des pattes flageolantes, incertain et nerveux.

— Allons, venez avec moi, insista-t-il avec bonté. C'est toujours le premier obstacle qui est le plus dur à franchir, vous le savez. Et vous avez le courage de triompher de tous les obstacles.

— Croyez-vous?

— Je parierais sur vous sans hésiter.

Elle lui sourit.

— Je dois vous paraître bête. Mais je vous suis vraiment reconnaissante de votre bonté.

— Il n'y avait rien d'autre que je pusse faire, n'est-ce pas?

Elle s'étonna de l'interrogation et du doute qui perçaient subitement dans sa voix.

Ils traversèrent la cour de l'écurie. Les box des chevaux étaient tous fermés. Les palefreniers riaient et chantaient dans une pièce éclairée, à l'autre extrémité.

— L'endroit où nous allons est-il loin? demanda Candida.

— Non, c'est à quelques pas d'ici. Cela vous est égal d'y aller à pied?

— J'aime bien marcher.

Ils remontèrent côte à côte la ruelle pavée. Dans l'avenue, des coupés passaient au trot tranquille des chevaux, lanternes allumées. Ils avaient un air de prospérité. Les chevaux étaient bien nourris, de même que les cochers perchés sur leur housse dans des livrées rutilantes.

Candida et le capitaine avançaient en silence. Il s'arrêta devant la porte d'une maison à portique. Candida s'apprêtait à monter les marches du perron lorsque la porte s'ouvrit. A sa surprise, le capitaine Hooper lui saisit le bras et la tira à l'écart.

— Qu'y a-t-il? chuchota-t-elle.

Dans l'encadrement lumineux de la porte, elle

avait vu se profiler deux silhouettes coiffées de hauts-de-forme.

— Ne vous retournez pas, dit le capitaine Hooper.

— Pourquoi donc?

— Je ne veux pas qu'ils vous voient.

Il l'entraîna un peu plus loin puis se retourna. Les deux hommes montaient dans une voiture pourvue d'un cocher et d'un valet, dont la portière était armoriée. Elle s'ébranla.

— Ils sont partis, soupira le capitaine Hooper. Inutile de nous attarder dans la rue. Quelqu'un d'autre pourrait arriver.

— Cette dame donne-t-elle une réception? demanda Candida, nerveuse.

— Non, elle ne reçoit que quelques... euh... amis.

Candida remarqua son hésitation, mais déjà la porte s'ouvrait. Un valet de pied surgit. Il dit au capitaine Hooper :

— Madame pense que le mieux est que vous alliez dans la salle à manger, monsieur.

— C'est une bonne idée, répondit le capitaine Hooper.

Il se dirigea vers une pièce située à l'arrière de la maison. Elle était petite mais meublée avec goût de meubles en acajou. Deux candélabres d'argent brillaient sur le buffet. Des globes de gaz étaient allumés de part et d'autre de la cheminée.

— Je vais prévenir Madame de votre arrivée, dit le valet.

Candida regarda autour d'elle avec appréhension. La pièce était d'un bon goût qui n'avait rien d'inquiétant. Pourtant, elle ne se sentait pas rassurée. Il lui sembla que le capitaine Hooper, lui aussi, était nerveux. Il ne cessait de la regarder et elle ne parvenait pas à déchiffrer l'expression de ses yeux.

— Pourquoi n'enlevez-vous pas cet affreux chapeau! suggéra-t-il enfin.

— Volontiers, si vous le désirez, répondit Candida en souriant. Il est vraiment laid, n'est-ce pas?

— Aucun cheval ne voudrait être enterré avec.

Ils riaient tous les deux lorsque Mme Clinton apparut.

Pendant un instant elle demeura sur le seuil de la porte, jaugeant la jeune fille qui se tenait à côté du capitaine. Elle était petite et frêle, avec une peau étonnamment blanche et des yeux immenses qui brillaient d'amusement.

Ce fut surtout sa chevelure qui stupéfia Mme Clinton. Elle était blond pâle mais la lumière du gaz y faisait surgir des reflets roux.

Mme Clinton demeura un moment comme fascinée puis son regard croisa celui du capitaine Hooper. Dans les yeux de celui-ci brilla l'éclair de triomphe du propriétaire dont l'animal remporte le premier prix lors d'un concours. Mme Clinton lui adressa un demi-sourire puis se dirigea vers Candida, mains tendues.

— Ma chère enfant, je suis heureuse de faire votre connaissance.

3

— C'est injuste! s'exclama passionnément un jeune homme qui se tenait, pâle et tendu, dans l'élégant bureau de Manville House, une belle demeure de Berkeley Square.

— Il est normal que vous le pensiez, répliqua Sa Seigneurie d'un ton suave, mais plus tard, Adrian, vous me remercierez.

— Je ne comprends pas que vous me dictiez mon comportement dans cette affaire, protesta Adrian. Vous êtes mon tuteur et vous administrez ma fortune jusqu'à ce que j'aie vingt-cinq ans, mais cela ne vous autorise pas à interférer avec ma vie privée en m'empêchant d'épouser la femme de mon choix.

Lord Manville haussa les sourcils.

— Vraiment? Je croyais que c'était précisément la fonction des tuteurs. Inutile de discuter, Adrian. Ma décision est prise et la réponse est non. Je ne peux pas vous permettre de vous marier alors que vous n'avez que vingt ans et que vous êtes encore à Oxford en train de poursuivre vos études.

— Si Lucy n'était pas une jeune fille de bonne famille, je comprendrais votre opposition. Mais elle est moralement au-dessus de tout reproche.

— Je n'ai jamais dit que la morale était en

cause. J'accepte votre affirmation que la jeune personne à laquelle vous avez donné votre cœur est parfaitement honorable. Que son père soit pasteur sanctifie apparemment la situation. Mais vous êtes trop jeune.

— Je suppose, remarqua Adrian d'un ton amer, que vous n'auriez aucune objection à ce que je m'installe avec une danseuse de mœurs légères dans une villa de Saint-John's Wood. Dans votre esprit, c'est ce qui convient à mon âge.

Lord Manville quitta la table du petit déjeuner et s'approcha de la cheminée.

— Mon ami, je ne me formaliserai pas de votre ton agressif. Non seulement une telle liaison aurait mon consentement, mais je m'en féliciterais.

— J'en étais certain, rétorqua Adrian, furieux. Votre réputation est détestable. Vous êtes l'objet de tous les commérages. Savez-vous comment on vous appelle?

— Cela ne m'intéresse nullement.

— On vous appelle le bourreau des cœurs, cria Adrian. Quel qualificatif pour un tuteur! J'en ai honte! Un certain nombre de mes amis vous envient votre fortune et vos chevaux, mais ils ricanent de vos innombrables conquêtes. M'entendez-vous?

— Il serait difficile de ne pas vous entendre car vous êtes en train de hurler. Vous devriez vous efforcer de vous dominer. Il est inconvenant qu'un homme du monde perde son sang-froid uniquement parce qu'il n'obtient pas ce qu'il désire.

Le calme de lord Manville tempéra l'emportement de son jeune cousin. Adrian se tut. Il se dirigea vers la fenêtre, contempla Berkeley Square puis reprit sur un ton différent :

— Je vous fais mes excuses.

— Je les accepte et, bien que vous ne me croyiez pas, je vous assure, mon cher Adrian, que je n'ai en vue que vos intérêts. Vous ignorez tout de la vie. Lorsque vous quitterez Oxford, vous irez à Londres où vous rencontrerez beaucoup de gens, dont des femmes. A ce moment-là, si vous éprouvez toujours les mêmes sentiments pour la jeune femme qui a conquis votre cœur, je serai prêt à vous entendre.

Adrian se retourna. Un espoir éclairait ses yeux :

— En attendant, puis-je me fiancer?

— Il n'en est pas question. Il ne doit y avoir aucun engagement, rien d'officiel qui ferait penser qu'il y a entre vous autre chose que de l'amitié. Même un accord privé vous lierait, jeune don Juan. Je veux que vous fassiez librement l'expérience du monde avant de vous mettre la corde au cou, si séduisante que cette jeune personne puisse vous paraître momentanément.

— Vous voulez que je devienne comme vous, qui n'êtes pas encore marié à trente-cinq ans?

— Avec une réputation de bourreau des cœurs. Chacun mène sa vie à sa guise. Quoi que vous et vos jeunes amis pensiez de moi, je suis un homme heureux.

— Vous êtes d'un autre temps, déclara Adrian. Ne comprenez-vous pas que cette manie de collectionner les femmes faisait partie des mœurs du début du siècle? Aujourd'hui les hommes sont plus sérieux. Ils ne voient plus la vie sous le même jour.

Lord Manville se mit à rire à gorge déployée.

— Adrian, vous êtes trop drôle! Tous les étudiants sont pareils. Ils pensent qu'ils vont changer le monde. Il croient qu'ils sont différents de leurs parents. Ils ne sont pas de la même étoffe que leurs aînés. Ils sont convaincus que leurs idées n'ont pas de précédent.

— Je vous assure que nous ne pensons pas comme vous, protesta Adrian avec passion.

— Ne cherchez pas à me convertir, répliqua lord Manville. Retournez à Oxford et obtenez votre diplôme. Ensuite, nous pourrons discuter de la façon dont vous envisagez l'existence.

— Il n'y a qu'une chose au monde que je désire.

— Je le sais. Mais il est inutile d'insister. Vous ne me convaincrez pas. Ma réponse reste : non.

— Et que feriez-vous si j'enlevais Lucy? Je n'aurais pas grand mal à la persuader à s'enfuir avec moi.

— Si vous commettiez cette folie, riposta lord Manville d'une voix glaciale, et que vous incitiez une jeune femme que vous prétendez aimer à un acte aussi contraire à la bienséance et aussi dommageable pour elle, j'aurais honte de vous. Mais je pense que même une fille de pasteur habituée à vivre modestement serait incapable de subsister sans revenu du tout. Voilà, Adrian, ce qui vous attendrait l'un et l'autre.

— Vous voulez dire que vous me couperiez les vivres? demanda Adrian, incrédule.

— Instantanément. Et ce n'est pas une menace à prendre à la légère. Si vous commettiez un acte aussi choquant et méprisable, vous perdriez toute ma considération. En fait, je ne m'occuperais plus de vous jusqu'au jour de vos vingt-cinq ans, où je vous remettrai vos biens, qui se seront accrus de tout l'argent que vous n'aurez pas dépensé.

— Dans ces conditions, il n'y a rien que je puisse faire? remarqua Adrian le visage sombre.

— Absolument rien, confirma lord Manville.

Pendant un instant, le jeune homme regarda son tuteur avec désarroi comme s'il désirait poursuivre son plaidoyer. Puis, avec une exclamation étouffée, qui pouvait exprimer la colère tout autant que le désespoir, il sortit de la pièce en claquant la porte.

Lord Manville soupira et, prenant le *Times*, il parcourut les gros titres. Le soleil du matin pénétrant par la fenêtre l'inondait. Il eût été difficile d'imaginer homme plus séduisant et d'allure plus aristocratique. Il portait une robe de chambre en brocart d'Orient, un foulard de satin azur autour du cou et des pantalons jaunes collants comme le voulait la mode.

Lord Manville avait des cheveux noirs et un front carré. Ses traits étaient d'une perfection classique et, s'il portait des favoris, le reste de son visage était glabre.

Lorsqu'il fronçait les sourcils, ils se rejoignaient presque au-dessus de son nez aristocratiquement arqué. Ses yeux étaient perçants et pénétrants, mais, lorsqu'il s'égayait, ils étincelaient de malice.

Le visage était beau. Mais, malgré son affirmation qu'il était heureux, sa physionomie avait une expression de cynisme particulièrement évidente dans le pli de la bouche qui pouvait devenir dure et méprisante lorsqu'il défiait la vie de le dominer.

Lord Manville venait de poser le *Times* et s'apprêtait à feuilleter le *Morning Post* lorsque son majordome parut.

— Je vous demande pardon, my lord, mais la duchesse douairière de Thorne est là. Je l'ai introduite dans le salon.

— Ma grand-mère à cette heure du matin?

Lord Manville regarda la pendulette de la cheminée.

— C'est vrai, c'est moi qui suis en retard à cause de M. Adrian.

— My lord n'est descendu un peu plus tard que d'ordinaire. Mais il était 5 heures du matin quand Sa Seigneurie est rentrée.

— Je m'en rends compte, Bates. J'ai la tête lourde. Dites à Taylor que je monterai à cheval dans une heure. Cela m'éclaircira les idées.

— C'est un bon remède, my lord, confirma Bates.

C'était un vieil homme qui avait été au service du père de lord Manville et du jeune baron depuis qu'il en avait hérité. D'un regard admirateur il suivit son maître tandis que celui-ci montait l'escalier quatre à quatre, en se disant qu'il n'y avait pas d'aristocrate plus distingué dans toute la Grande-Bretagne.

Dix minutes plus tard, lord Manville faisait son entrée dans le salon où sa grand-mère l'attendait. Il était élégamment vêtu d'un habit de cheval en drap fin. Sa cravate était fixée par une épingle à perle et il portait à la boutonnière un œillet jaune assorti à la couleur de son gilet.

— Ma chère grand-mère, s'exclama-t-il, pardonnez-moi de vous avoir fait attendre mais je n'avais pas prévu l'agréable surprise de votre visite!

La duchesse douairière de Thorne lui permit de baiser ses vieilles mains recouvertes de mitaines et raidies par les rhumatismes. Elle le toisa d'un œil appréciateur tandis qu'il prenait place à côté d'elle sur le sofa.

— Qu'est-ce qui vous amène à Londres? demanda lord Manville.

— Sa Majesté, répliqua la duchesse. Je vous assure, Silvanus, que je n'entreprendrais pas un voyage aussi fatigant sur des routes boueuses pour une autre raison.

Il était bien connu que la duchesse douairière saisissait n'importe quel prétexte pour venir à Londres, quelle que fût la saison. Ses enfants affirmaient qu'elle avait la bougeotte. Lord Manville se contenta de sourire.

— Vous savez bien que vous adorez Londres, grand-mère. Si vous vous enterriez à la campagne, comment apprendriez-vous le dernier scandale dont on parle dans les salons?

— Je n'entends dire que trop de choses, riposta sèchement la duchesse. Sa Majesté m'a demandé quand vous alliez vous marier. Il est bien dommage que j'aie été incapable de lui répondre.

— Ne me parlez pas de mariage, implora lord Manville. On m'a tellement cassé les oreilles ce matin avec cette maudite institution que je souhaiterais qu'on l'abolisse une fois pour toutes.

— Est-ce ce dont Adrian était venu vous parler? demanda la duchesse, les yeux brillants. Je l'ai rencontré alors qu'il s'en allait. Il avait l'air maussade et j'ai pensé que c'était peut-être vous qui en étiez la cause.

— Je vois que vous mourez d'envie de savoir ce qu'Adrian était venu me demander. Vous avez bien deviné. Il veut épouser la fille de quelque obscur pasteur qu'il a connue à Oxford.

— Et vous avez refusé?

— Bien entendu. Peut-on imaginer pire mésalliance à vingt ans?

— Adrian a toujours été sentimental et romanesque. Je pense que vous avez raison. Mais lui interdire de se marier, c'est l'encourager à le faire, ne fût-ce que par défi.

— Il est difficile de défier quelqu'un quand on n'a pas d'argent.

— Vous avez menacé de lui couper les vivres?

— Ce qu'il y a d'agréable avec vous, grand-mère, c'est qu'il n'y a pas besoin de mettre les points sur les *i*. Vous devinez tout à demi-mot. Si les autres étaient comme vous, la vie serait plus facile.

— Le monde est rempli d'imbéciles, répliqua la duchesse avec mépris. Les ennuis d'Adrian étant réglés, si nous parlions des vôtres?

— Ai-je des ennuis? demanda lord Manville avec une feinte innocence.

— N'essayez pas de jouer au plus fin avec moi. Vous savez fort bien que tout le monde parle de vous. Même Sa Majesté a dû avoir vent des rumeurs qui courent sur votre compte car elle a réussi à distraire sa pensée du prince consort le temps de me demander si vous vous étiez trouvé une épouse.

— Sa Majesté est si heureuse en mariage, remarqua lord Manville, qu'elle souhaite que tous ses sujets participent à la même béatitude.

— Cela me paraît improbable en ce qui vous

52

concerne. Mais vous avez raison en ce qui concerne la reine. Elle n'a pas d'autre sujet de conversation que les vertus du prince Albert. Si tous les hommes étaient comme lui, je serais restée vierge.

— Voyons, grand-mère, mesurez vos paroles, dit lord Manville, les yeux étincelants de rire.

— Je n'ai pas l'habitude de mâcher mes mots. Je n'appartiens pas, Dieu merci, à cette époque hypocrite. Buckingham Palace est si lugubre qu'on s'en trouverait mal. Quand je me souviens de la gaieté qui régnait à Carlton House du temps du Régent, qui dépensait de l'argent à flots, je me dis que la vie doit être bien ennuyeuse pour la jeunesse d'aujourd'hui.

— Nous trouvons malgré tout le moyen de nous divertir, assura lord Manville.

— Vous, je n'en doute pas. D'ailleurs, vous êtes un homme et votre sexe trouve toujours quelque chose pour exciter sa fantaisie. Les belles amazones, par exemple.

— Voyons, grand-mère, qui vous a raconté des choses pareilles? Vous devriez ignorer cette expression. La prononcer est choquant.

— Ne soyez pas ridicule. Lisez-vous les journaux? Il y avait un article sur ces filles dans le *Times*. Je dois dire que j'en ai été étonnée. On ne s'attend pas à trouver de telles futilités dans un journal aussi respectable. Lady Lynch m'a envoyé une coupure du *Saturday Review* sur le même sujet.

— Et qu'en disait-on?

— Qu'aujourd'hui personne n'utilise plus le mot de prostituée. On se sert d'euphémismes pour rendre la profession plus élégante. Les belles amazones! Quelle sottise. De mon temps, une catin était une catin.

Lord Manville rit :

— Grand-mère, vous êtes incorrigible.

— Ça se peut. Mais parlez-moi donc de ces « belles amazones ».

— Si vous commenciez par me dire ce que vous savez?

— Lady Lynch a trois filles en âge de se marier. J'admets qu'elles ne sont pas séduisantes, mais elles ont de la vertu, elles sont d'une bonne lignée, et si on leur en donnait l'occasion, elles feraient probablement de bonnes épouses et de bonnes mères. Mais lady Lynch m'a assuré qu'elles n'avaient aucune chance de trouver un mari.

— Vous voulez dire que personne ne demande leur main? Mais à qui la faute?

— A vos belles amazones. Lady Lynch emmène ses filles dans des bals, des fêtes de charité, des concerts, à l'opéra, à Ascot, mais en vain. Les jeunes gens dansent avec elles, flirtent un brin, se remplissent la panse et boivent le bordeaux des parents et puis, quand ils ont envie de se divertir, ils s'adressent aux belles amazones.

Lord Manville s'esclaffa.

— Vous me ferez mourir de rire. Quelle histoire lamentable! Mais qu'y faire si les filles ne sont pas jolies?

— Vous et vos amis vous rendez ridicules à vous enticher de filles sans éducation qui ont un joli minois. Pensez-vous qu'on les remarquerait si vous ne leur offriez des vêtements élégants et des chapeaux extravagants? Sans parler de leurs chevaux. Une fois que vous les avez tirées de leur obscurité personne ne s'inquiète de savoir qu'elles n'ont pas plus d'esprit que des linottes.

— Chère grand-mère, je vous assure que les Dalila existent depuis l'aube des temps. Vous n'empêcherez jamais les hommes de se divertir en compagnie de séduisantes créatures qui n'exigent pas qu'ils s'enchaînent à elles à vie. Vous savez bien que ce genre de femmes existait du temps de votre jeunesse.

— En effet, mais il s'agissait de filles de joie ou de femmes de notre propre classe, par exemple les maîtresses du Régent. Quant aux filles de joie, on n'en parlait pas et on ne les voyait pas.

— Il faut être de son temps, grand-mère. Quelques-unes de ces personnes auxquelles vous semblez vous intéresser sont de bonne famille. Elles viennent de couches de la société beaucoup plus élevées que les filles de joie du début du siècle. Il faut comprendre que les jeunes filles de Belgravia Square, ou de tout autre quartier où habite lady Lynch en compagnie de sa vertueuse progéniture, ne font rien de plus pour attirer l'homme d'aujourd'hui que d'imiter maladroitement les maîtresses qu'il choisit parce qu'elles l'amusent et le séduisent. Aucun homme n'a envie de passer sa vie entière avec une femme qui n'est capable que de l'amuser. Ce serait comme dîner éternellement de bonbons. Mais je n'ai jamais rencontré une jeune fille de bonne famille qui, au bout d'une danse, ne m'ait ennuyé à mourir. A la longue, elles sont totalement insupportables.

La duchesse posa la main sur le bras de son petit-fils :

— Dites-moi, Silvanus, j'espère que vous ne portez plus le deuil de cette gamine qui s'est si mal comportée envers vous au début de votre séjour à Londres?

Lord Manville se leva.

— Certainement pas, grand-mère. Je l'ai échappé belle. Je me croyais amoureux et j'ai découvert que, dans les enjeux matrimoniaux, un marquis a plusieurs longueurs d'avance sur un baron.

— Je savais qu'elle vous avait blessé, remarqua la duchesse, mais je ne pensais pas que la cicatrice serait si longue à guérir.

— C'est un incident que j'ai oublié depuis longtemps, protesta lord Manville.

La duchesse douairière soupira. Elle savait qu'il mentait.

— Je suis sûre qu'il existe quelque part des jeunes filles intelligentes auxquelles vous pourriez vous intéresser.

— Ne vous faites pas de soucis pour moi, grand-mère. Je suis parfaitement heureux en compagnie de mes Danaé et de mes Vénus. Appelez-les des belles amazones ou des catins. Elles n'en apportent pas moins beaucoup de plaisir et d'agrément à la vie de l'homme.

— J'aurais voulu vous voir marié avant de mourir.

— Dans ce cas, j'ai encore vingt ans pour me décider, riposta lord Manville en souriant. Cessez de vous faire du souci pour moi, grand-mère, ou vous deviendrez aussi ennuyeuse que la reine.

— Je suppose que tous ceux qui sont amoureux ennuient les autres, répondit la duchesse. Ne vivre que pour une seule personne est peut-être le comble de la félicité pour soi-même, mais ceux qui sont obligés d'écouter ces récits de bonheur domestique bâillent à s'en décrocher la mâchoire.

— Dans ce cas, je ne suis pas en danger de vous faire bâiller.

Lord Manville se dirigea vers la cheminée et tira sur la sonnette.

— Que préférez-vous, du porto ou du champagne? Je sais que votre médecin vous a interdit l'un et l'autre, mais je suis convaincu que vous ne suivez pas plus ses conseils que les miens.

— Je prendrai du champagne, répondit la duchesse. Vous avez raison Silvanus. Ne permettez jamais à autrui de vous persuader de faire ce dont vous n'avez pas envie. La vie est courte, autant en profiter.

— Ce que vous avez toujours fait, grand-mère.

Un valet apparut. Lord Manville lui ordonna d'apporter du champagne puis retourna s'asseoir auprès de la vieille dame.

— Maintenant, grand-mère, dites-moi le motif réel de votre visite. Ce n'était certainement pas l'espoir de me convaincre de me marier. Vous devez avoir eu une autre raison.

— Je voulais vous voir. Vous êtes peut-être un

réprouvé, mais je vous ai toujours préféré à mes autres petits-enfants. Ils sont vertueux, mais je n'ai jamais pu supporter longtemps leur compagnie.

— Mais encore? insista lord Manville.

La duchesse hésita, puis alla droit au fait :

— On a beaucoup parlé de vous et de lady Brompton.

— « On » désignant les importuns qui se mêlent de ce qui ne les regarde pas.

— C'est exact. Mais étant donné votre rang social et la beauté de lady Brompton, il fallait s'y attendre. De toute façon, on sait qu'elle ne vit pas avec son mari.

— Dans ce cas, grand-mère, je puis vous rassurer. C'est une affaire terminée. L'espace d'un moment, mais guère plus, j'ai été tenté de braver les convenances et de lui demander de partir avec moi. C'est une créature passionnée, violente, avec laquelle la vie serait agitée mais pourrait être excitante. Néanmoins, ni elle ni moi n'avons envisagé cette éventualité avec sérieux. Lady Brompton a décidé de s'établir à l'étranger. La société romaine apprécie son tempérament original.

La duchesse manifesta un soulagement évident.

— J'en suis heureuse. Vous appartenez à une vieille famille qui a toujours eu le sens de l'honneur. Je n'aurais pas permis à votre mère d'épouser votre père si je n'avais su que les Manville étaient dignes de s'allier aux Thorne. Au long des siècles, il n'y a jamais eu de scandale dans notre famille. Pas de traître, pas de voleur, pas de divorce. Je ne voudrais pas que cela arrivât aujourd'hui.

— Dans la mesure où cela dépend de moi, ça ne se produira pas, assura lord Manville avec gravité. Soyez-en certaine, grand-mère. Ce n'était qu'un moment de folie.

— Je pense que c'est peut-être la raison pour laquelle Sa Majesté m'a convoquée. Elle savait que si je venais à Londres j'irais vous voir. Mais elle n'a pu se résoudre à faire allusion à des commérages scandaleux sachant qu'elle n'avait rien de précis à vous reprocher.

— Personne ne peut rien me reprocher de précis. Je suis tout aussi conscient que vous de notre tradition familiale et si je me mariais un jour, ce serait avec une personne qui aurait votre approbation.

— Je suppose que cette déclaration filiale devrait me satisfaire. Mais je préférerais vous entendre dire que le jour où vous vous marierez, ce sera avec une personne que vous aimerez.

— Cela me paraît improbable.

Il se leva pour tirer sur la sonnette. La duchesse le regarda avec une expression de tristesse. Elle se rendait compte que la blessure que lui avait infligée dix ans plus tôt une jeune fille ambitieuse le tourmentait encore.

— Faites avancer la voiture de Sa Grâce, ordonna lord Manville. J'aimerais poursuivre cette conversation, grand-mère, mais mon cheval doit m'attendre et, comme il est toujours impétueux, les palefreniers ont sans doute du mal à le tenir.

— Je suis heureuse que vous aimiez les chevaux fougueux. Je n'ai jamais pu supporter les matelas ambulants sur lesquels les femmes du monde s'exhibent dans Hyde Park. Qu'on me donne un cheval qui soit un cheval et un homme qui soit un homme, et je ne demande rien de plus à la vie.

— Vous me donnez le mauvais exemple, grand-mère, dit lord Manville avec affection. Si je vous écoutais, ma réputation serait encore pire qu'elle ne l'est. Adrian m'a dit qu'il avait honte de ce qu'on disait sur mon compte à Oxford.

— Honte? Quel petit imbécile!

— Adrian m'a appris qu'on m'avait donné un surnom. Vous le connaissez?

— Bien entendu. On vous appelle le bourreau des cœurs. Je n'y vois pas de mal. Cela prouve que vous avez du caractère.

— Comme je l'ai dit, grand-mère, vous me donnez le mauvais exemple, commenta lord Manville en riant. Je suppose que vous retournez à la campagne. Si la chaleur de Londres devient trop accablante, j'irai vous voir.

— Vous feriez mieux d'aller à Manville. Je n'aime pas savoir cette maison vide. En outre, lorsque le maître n'est pas là, les domestiques en font à leur tête.

— Je suivrai ce conseil.

— J'ajoute qu'à votre place je ne laisserais pas Adrian bouder à Oxford. Souvenez-vous que le seul antidote contre un amour malheureux est une nouvelle liaison sentimentale.

Lord Manville rit aux éclats, éveillant les échos du grand hall. Puis il reprit son sérieux.

— Je lui écris dès ce soir de venir à Manville à la fin du trimestre.

— Trouvez-lui une fille pour le distraire, conseilla la duchesse. Une belle amazone devrait être capable de lui faire oublier la fille d'un pasteur.

— Vous êtes la femme la plus sage que je connaisse, déclara lord Manville en l'aidant à monter en voiture.

C'était une voiture démodée et confortable, dont le cocher et les valets en livrée avaient vieilli au service de la duchesse.

Les domestiques accueillirent lord Manville avec un large sourire lorsqu'il leur demanda des nouvelles de leur santé sans oublier leurs femmes et leurs enfants. Puis il recula tandis que la voiture s'ébranlait et que la vieille dame agitait la main en signe d'adieu.

La voiture avait à peine disparu que les palefreniers apparurent avec Tonnerre, un étalon plein de fougue, qui dansait et ruait pour montrer son indépendance.

Le majordome tendit à lord Manville son haut-de-forme et sa cravache. Lord Manville eut quelque difficulté à sauter en selle, mais, aussitôt qu'il y fut, le cheval se calma. Ils se dirigèrent vers Hyde Park.

Lord Manville avait de multiples sujets de préoccupation tandis qu'il trottait le long de Hill Street. Il ne voyait même pas les amis qui le saluaient au passage. Lorsqu'il pénétra dans Hyde Park, Big Ben sonnait. Il se rendit compte que malgré les événements de la matinée et les visites imprévues qu'il avait reçues il arriverait à temps pour voir Lais qui l'attendait au pied de la statue d'Achille.

L'expression cynique de sa bouche s'atténua un peu tandis qu'il pensait à elle. Elle était extrêmement séduisante avec sa chevelure de jais et ses yeux obliques qui suggéraient du mystère. Lord Manville ignorait la vérité sur sa naissance et ses antécédents. Il fallait du temps pour qu'une femme se décidât à dire la vérité sur elle-même. Mais cela ne l'intéressait guère.

Ce qui était certain, c'est que Lais était une bonne cavalière. Il était décidé à lui acheter un cheval digne d'elle, qui ferait l'envie de ses amis. Elle lui avait parlé d'un animal qui lui plaisait, mais il n'arrivait pas à se souvenir du lieu où elle l'avait vu. Peut-être chez Tattersalls.

« Il faudra que je regarde le catalogue », songea-t-il.

Il se dit qu'il prendrait plaisir à dépenser de l'argent pour Lais. C'était une nouvelle acquisition. Elle lui avait manifesté avec beaucoup de grâce sa gratitude pour les boucles d'oreilles en diamant qu'il lui avait offertes. Il lui devait un autre cadeau.

L'argent n'avait pas d'importance pour lui. Il était riche, il pouvait se permettre d'en dépenser et, lorsqu'une femme l'amusait, il ne demandait pas mieux que de payer pour ce divertissement. Il se souvint de l'inquiétude de sa grand-mère lorsqu'elle avait parlé de lady Brompton.

« C'est la dernière fois, se dit-il, que j'aurai des

relations sentimentales avec une femme de ma propre classe. On n'y récolte que des ennuis ».

Néanmoins, le temps qu'avait duré cette liaison, elle avait été plutôt grisante parce qu'elle défiait les convenances. Mais aujourd'hui, il se sentait attiré par Lais, ses yeux obliques, sa bouche sensuelle, et aucune considération sociale ne s'opposait à ce caprice.

L'idée de la revoir était agréable. Lord Manville incita Tonnerre à presser l'allure d'un petit coup de cravache et se dirigea vers la statue d'Achille.

4

Lorsque Candida pénétra dans le parc, montée sur Pégase, elle regarda autour d'elle avec intérêt.

Park Lane était à sa gauche. C'était là, lui avait-on dit, que se trouvaient les demeures de l'aristocratie. Dans le parc, entre les parterres de fleurs et la verdure printanière des grands arbres, leurs illustres habitants se promenaient, en calèches rutilantes, ou à pied sur les pelouses bien entretenues.

Candida regarda fascinée les messieurs en haut de forme portant des cannes à pommeau d'or et les dames dont les crinolines se balançaient gracieusement au rythme de leur démarche.

« Voici donc Londres! » songeait-elle avec enthousiasme. C'était là le monde où l'on s'amusait, dont elle avait entendu parler mais qu'elle n'avait jamais vu.

Pourtant, cela faisait trois semaines qu'elle se trouvait à Londres. Trois semaines pendant lesquelles elle avait vécu la plus étrange des aventures. Mme Clinton lui avait dit le soir de son arrivée :

— Vous comprenez bien, ma chère, que vous ne pouvez voir personne tant que vous ne serez pas convenablement habillée.

— Voulez-vous dire que je ne pourrai pas monter Pégase? avait aussitôt demandé Candida.

— Bien sûr que si, avait dit le capitaine Hooper. Mon personnel se chargera de le soigner, mais il faut que vous lui fassiez faire de l'exercice. Vous pourrez le monter très tôt le matin. Les gens de qualité ne se montrent guère avant que le monde ne soit épousseté.

Candida avait rit à cette plaisanterie et Mme Clinton s'était jointe à elle.

— C'est bien vrai, confirma-t-elle. Candida trouvera que le programme que j'ai projeté pour elle est ennuyeux, mais que l'enjeu vaut l'effort.

Candida n'avait pas compris ce que Mme Clinton voulait dire. Elle pensait qu'elle serait condamnée à demeurer dans la maison quand elle ne montait pas Pégase et espérait obtenir des livres pour passer le temps. Puis elle constata que chaque instant de la journée était occupé. Lorsqu'elle avait un moment de loisir, elle était si fatiguée qu'elle n'avait plus le courage de lire.

On la réveillait à 5 heures du matin. A 5 h 30, le capitaine Hooper venait la chercher et la conduisait, parfois seul, parfois en compagnie de palefreniers montant d'autres chevaux, à Regent's Park.

Pégase pouvait y galoper à cœur joie. Candida admirait la brume suspendue au-dessus de l'eau, les arbustes en fleur, l'odeur des lilas, le spectacle des pelouses parsemées de pétales de fleurs de cerisiers.

— Je ne pensais pas que Londres était si beau! s'exclamait-elle perpétuellement.

Le capitaine Hooper souriait de son enthousiasme.

Lorsqu'ils revenaient, les rues commençaient à s'animer. Ils croisaient les voitures des fournisseurs, bouchers, laitiers, et des vendeurs de muffins criant leur marchandise. Candida se rendait au manège où elle aidait le capitaine Hooper à dresser les jeunes chevaux qui n'étaient pas encore assez dociles pour pouvoir être montés en amazone par des femmes du monde en marchant fièrement le long de rues pavées, sans s'effrayer lorsqu'ils rencontraient des objets qui ne leur étaient pas familiers. Candida se rendit compte que c'était un travail difficile.

Mme Clinton lui avait prêté un habit de cheval qu'elle pouvait porter le matin. Il était en velours côtelé bleu foncé avec des revers de satin. Il avait paru luxueux à Candida. Mais Mme Clinton avait dit avec dédain :

— C'est une tenue de travail. Vous aurez besoin de quelque chose de très différent lorsque vous irez à Hyde Park.

Le temps qu'un cordonnier lui fasse une paire de bottes neuves, Candida avait dû porter les siennes qui menaçaient de se déchirer. Le capitaine Hooper avait remarqué :

— Je doute qu'on puisse y fixer un éperon.

Candida avait haussé les sourcils.

— Je n'ai pas besoin d'éperon, avait-elle protesté.

— Mais si, avait dit le capitaine Hooper sèchement. Toutes les femmes utilisent un éperon.

Candida, avec un frisson, avait pensé au flanc sanglant de Firefly le premier soir où elle avait vu, du haut de la galerie, Lais monter le cheval.

Elle s'était écartée du cordonnier de Sa Majesté, M. Maxwell, avec un geste de répulsion, lorsque, après avoir pris ses mesures, il lui avait présenté dans un écrin de velours, comme autant de bijoux, plusieurs modèles d'éperons.

— Je ne sais pas lequel vous préférez, madame, mais beaucoup de dames choisissent celui-ci.

Il lui avait montré un éperon à pointes particulièrement longues. C'était probablement un instrument du même type que Lais avait utilisé.

— C'est un éperon à molette, avait expliqué M. Maxwell. Les pointes sont suffisamment longues pour traverser n'importe quel tissu si votre jupe s'interposait entre l'éperon et le flanc du cheval.

Candida étant restée muette, M. Maxwell lui avait proposé un autre modèle :

— Celui-ci est plus répandu encore. Il a une pointe unique et ne déchire pas la jupe. Les dames affirment qu'il est deux fois plus efficace que l'éperon à molette.

— Emportez tout cela, avait dit Candida d'un ton presque sec. Je ne ferai jamais à un cheval l'injure d'utiliser contre lui des instruments aussi barbares.

Elle avait regardé le capitaine Hooper avec défi.

— Je ne me suis jamais servie d'un éperon avec Pégase et je pense que, lorsqu'un cheval est bien dressé, une telle brutalité n'est pas nécessaire.

— Certaines femmes prennent plaisir à maltraiter les animaux, avait répondu le capitaine Hooper, oubliant à qui il parlait. Plus elles sont féminines, plus elles trouvent de satisfaction à exercer leur domination sur le cheval qu'elles montent.

— Dans ce cas, elles ne sont pas des femmes! s'était exclamée Candida avec passion.

Le capitaine Hooper avait haussé les épaules.

— A votre guise. Il vous sera facile d'emprunter un éperon si vous deviez en éprouver le besoin.

Il avait dû admettre en regardant Candida monter qu'elle avait raison en affirmant qu'elle n'avait nul besoin d'un éperon pour dresser un cheval.

Elle semblait obtenir de meilleurs résultats avec ses chevaux que les autres femmes qui arrivaient plus tard dans la matinée et utilisaient leur éperon vigoureusement et sans merci, de même qu'elles exigeaient un mors à gourmette douloureux.

Il lui était impossible de ne pas comparer les méthodes de cette jeune fille innocente qu'il avait découverte à la campagne avec celles des professionnelles qu'il rémunérait ou qui gagnaient le privilège de monter ses chevaux dans Hyde Park en dressant ceux qu'il achetait.

Mais Candida n'avait aucun contact avec les

gens qui fréquentaient le manège. Elle n'avait affaire qu'au capitaine Hooper et aux palefreniers. A 8 heures du matin, elle retournait prendre son petit déjeuner chez Mme Clinton. Elle se demandait quel serait le programme de la journée. Il se révélait sans surprise. C'était une succession d'essayages, innombrables et fatigants.

Elle n'eût pas imaginé qu'il était aussi épuisant d'être debout durant des heures pendant qu'on épinglait sur elle des tissus délicats, ni qu'il lui faudrait autant de robes pour remplir une fonction qui, dans son esprit, se réduisait à faire parader Pégase devant un public admiratif.

— Mais pourquoi ai-je besoin de robes du soir? avait-elle demandé à Mme Clinton.

— On vous invitera à des soirées. Les messieurs qui s'intéressent aux chevaux sont tous très riches. Ils aiment se divertir. Vous ne pouvez pas monter à cheval tout le temps.

— Bien sûr que non, avait répondu Candida en regardant les mousselines, les satins, les dentelles et les brocarts que Mme Elisa avait présentés à Mme Clinton pour que celle-ci opère un choix.

Il y avait les sous-vêtements, les bas, les gants, les bourses, les chapeaux, les ombrelles, les manteaux, les châles. Candida s'y perdait.

Elle s'en était inquiétée.

— Mais qui va payer tout cela? avait-elle demandé d'une voix troublée. Vous savez que je n'ai pas d'argent. Je ne peux pas vous permettre d'en dépenser autant.

Mme Clinton avait écarté la question d'un geste de la main.

— Ne vous inquiétez pas de cela. Remettez-vous-en à moi et au capitaine Hooper. Il vous suffira de faire ce qu'on vous dit et de vous assurer que votre cheval soit digne de l'admiration que le capitaine lui accorde.

Candida s'était instantanément adoucie.

— Je n'ai pas peur pour Pégase. Je crains plutôt de n'être pas digne de lui, et que vous regrettiez l'argent que vous dépensez. Je ne suis pas habituée aux belles choses.

— Vous les portez fort bien, avait dit Mme Clinton.

Mme Elisa s'était répandue en compliments :

— Je n'ai jamais habillé une personne plus belle et plus élégante, avait-elle confié à Mme Clinton. Et elle est si gentille que mes ouvrières se mettraient en quatre pour elle. C'est une jeune fille trop distinguée pour les rodomontades et les beuveries des jeunes dandys.

— Ce n'est pas à un jeune dandy que je la destine, avait répondu Mme Clinton.

— J'en suis soulagée. Elle n'est qu'une enfant. Comment se fait-il qu'elle ait atterri chez vous?

Mme Elisa, qui habillait les plus grandes dames du royaume, avait droit à quelques privilèges. Mais Mme Clinton n'avait pas pour habitude de partager ses secrets.

— Ce qu'il faut avant tout, madame Elisa, c'est que Candida soit la sensation de la Saison. Vous savez comme moi combien les vêtements sont importants pour retenir l'attention du public. C'est pourquoi je n'épargne pas la dépense.

— Quel dommage que le prince de Galles soit trop jeune pour s'intéresser à elle.

— Il y a d'autres hommes tout aussi importants qui seront plus disposés à régler ses factures.

Ce fut tout ce que Mme Elisa réussit à en tirer. Mais elle se donna plus de mal encore et Candida eut parfois l'impression qu'elle allait s'affaisser d'épuisement, tant les essayages étaient minutieux.

Finalement, lorsque son armoire fut pleine, elle se rendit compte que le jour de ses débuts dans le monde approchait.

Mais en plus des toilettes, il lui fallait apprendre de multiples arts d'agrément. Un professeur de danse vint lui enseigner les pas à la mode.

L'après-midi, alors que la maison était le plus tranquille, les domestiques roulaient le tapis et Candida apprenait à danser.

Elle y prenait plaisir et son professeur, un vieil homme à cheveux gris et à moustache tombante, déclara que, faute de mieux, elle pourrait devenir danseuse et se produire sur une scène.

— Cela me plairait, avait-elle déclaré à Mme Clinton. Pensez-vous que je pourrais devenir danseuse?

— Certainement pas, avait riposté Mme Clinton. J'ai de meilleurs projets pour vous.

Candida avait demandé quels étaient ces projets mais Mme Clinton n'avait pas daigné répondre.

Elle avait été surprise lorsque son professeur, sur l'ordre de Mme Clinton, lui avait appris la polka. Elle en avait entendu parler comme d'un divertissement plutôt vulgaire. Son père l'avait qualifié de « bohème », le genre de choses qu'on ne s'attendrait à trouver qu'à Paris.

— Les messieurs trouvent cette danse amusante, avait expliqué le professeur sur un ton d'excuse.

Et il avait fredonné un air d'Offenbach.

— Je conviens que cela rend gai, et c'est aussi fatigant qu'un galop à cheval, avait admis Candida.

C'était Mme Clinton elle-même qui lui avait appris comment il fallait se conduire dans un dîner où il y avait une douzaine de plats différents et presque autant de vins. Elle lui avait enseigné comment commander un menu et placer les gens à table.

— La plupart des hommes aiment que les dîners pour lesquels ils paient soient bien organisés. La cuisine et les vins sont très importants, ne l'oubliez jamais.

— Je pensais que, chez les gens riches, c'était le majordome ou la gouvernante qui se chargeaient de ce genre de choses! avait dit Candida.

Et puis, ce serait mon mari qui choisirait les vins, n'est-ce pas?

Mme Clinton était restée sans voix. Puis elle avait répondu :

— Il est toujours utile de savoir diriger une maison.

— Bien entendu. Mais si je me marie, je suppose que ce sera avec un homme pauvre et qu'il faudra que je fasse le travail moi-même, comme ma mère.

— Personne n'a envie d'être pauvre, avait répliqué Mme Clinton. Moi, cela m'a toujours fait peur.

— Vraiment? Je conviens qu'il est désagréable de se faire des soucis parce qu'on ne peut pas payer des factures ou les gages des domestiques qui sont si dévoués qu'ils restent à votre service quand même. Mais rien de tout cela n'a d'importance lorsqu'on est heureux.

— Je ne vois pas comment on peut être heureux dans ces conditions.

— Mon père et ma mère étaient très heureux. Et moi aussi. Ce n'est qu'une fois qu'ils sont morts que je me suis trouvée complètement démunie d'argent, sans savoir quoi entreprendre.

— Eh bien, tirez-en la leçon et comprenez que l'argent est important. Sachez le garder et vous faire payer. Ne soyez pas prodigue, c'est inutile. Laissez les autres régler vos notes.

Candida avait ri :

— Mais pourquoi quelqu'un aurait-il envie de les payer à ma place?

— Vous êtes jolie, ma chère enfant. Vous vous rendrez compte que les hommes qui vous admireront vous feront des cadeaux. Ils vous donneront peut-être de l'argent. Si vous avez du bon sens, vous accepterez.

— Mais ce ne serait pas bien, avait protesté Candida. Maman m'a toujours dit qu'une femme ne devait rien accepter d'un homme à moins qu'il ne soit son fiancé.

Mme Clinton n'avait pas répondu. Candida avait poursuivi :

— Peut-être aurais-je la chance de tomber amoureuse de quelqu'un qui aura les moyens de m'offrir des cadeaux. Il serait agréable de ne pas avoir de soucis d'avenir et de pouvoir garder Pégase et d'avoir d'autres chevaux.

Elle était demeurée un moment silencieuse, puis elle avait dit d'un ton pathétique, en joignant les mains :

— Madame Clinton, pensez-vous que le capitaine Hooper tiendra sa promesse et s'abstiendra de vendre Pégase? Il me l'a dit.

— Si le capitaine vous l'a dit, il tiendra sa promesse.

Mme Clinton avait brusquement changé de sujet et ordonné à Candida de faire les comptes de la semaine.

— Ne faites jamais confiance à vos domestiques. Si fidèles et honnêtes qu'ils paraissent, il faut toujours vérifier les comptes. Sinon, vous constaterez que vos dépenses dépassent de loin ce que vous avez consommé.

Candida avait docilement additionné les notes du boucher, du boulanger, de l'épicier. Quand elle était arrivée à celle du marchand de vins, elle s'était étonné :

« Comment Mme Clinton a-t-elle pu consommer tant de champagne? » s'était-elle demandé. Mais il eût été indiscret de lui poser la question.

« Ce sont sûrement les amis qui viennent passer un moment avec elle le soir. »

A cette heure-là, Mme Clinton la bannissait dans sa chambre, au dernier étage de la maison. Mais la chambre donnant sur la rue, elle voyait de sa fenêtre les voitures armoriées avec leurs beaux attelages et leurs valets en livrée.

Candida se dit que Mme Clinton étant veuve elle souffrait de la solitude quand elle ne recevait pas.

Mais aucun des visiteurs ne restait pour dîner.
Ils arrivaient et repartaient. D'autres leur suc-
cédaient. Au début, Candida avait cru que
Mme Clinton ne recevait que des visites masculi-
nes, mais elle vit des dames descendre de voitures
de louage, avec des robes resplendissantes, parées
de bijoux.

Elle regrettait de ne pas pouvoir les détailler.
Mais elles disparaissaient aussitôt dans la maison
et en ressortaient au bout d'un moment en compagnie d'un homme. Elles montaient dans sa voi
ture et s'en allaient.

Candida se demanda pourquoi ils n'arrivaient
jamais ensemble. Mais elle n'avait pas osé questionner Mme Clinton qui s'enfermait parfois dans
un silence intimidant.

Ce qui la surprit, plus que tout, ce fut l'aspect
de l'amazone que Mme Clinton lui commanda
chez un tailleur qui habillait la famille royale. Il
connaissait son affaire. Candida s'était dit qu'elle
n'avait jamais eu un vêtement aussi bien coupé.

Pourtant, Mme Clinton avait exigé que la taille
fût plus serrée encore et le tissu plus moulé sur
les seins. Candida s'était inquiétée à l'idée de paraître indécente. Du fait que cette amazone devait
mettre Pégase en valeur, elle y attachait plus
d'importance qu'à ses robes. Le plus déconcertant
était le tissu.

Lorsqu'elle s'était habillée ce matin-là pour se
rendre à Hyde Park pour la première fois, elle
s'était regardée dans la glace, gênée et vaguement
effrayée. Etait-il vraiment dans l'intention de
Mme Clinton qu'elle eût cette allure? Et qu'en eût
dit sa mère? L'image que lui renvoyait la glace ne
correspondait absolument pas à l'idée qu'elle se
faisait d'elle-même.

Elle avait eu peur de paraître ingrate en expri-
mant ses doutes devant Mme Clinton. Mais lorsque le capitaine Hooper l'avait aidée à monter en
selle et avait arrangé sa jupe sur ses bottes flam-

bant neuves, elle lui avait demandé à voix basse :

— Trouvez-vous que j'ai l'air convenable?

Il avait lu l'expression d'anxiété de son visage.

— Cette tenue vous va très bien.

— Je me sens gênée.

Le capitaine Hooper savait comment il fallait manœuvrer Candida.

— Vous mettez Pégase en valeur. Rien de tel qu'une cavalière élégante pour attirer l'attention sur un beau cheval.

Son affirmation avait eu l'effet désiré. Candida s'était redressée et lui avait souri avec confiance tandis qu'ils se dirigeaient vers le parc.

A Hyde Park, il y avait foule depuis plus d'une heure autour de la statue d'Achille. Personne ne savait pourquoi les belles amazones et particulièrement la plus célèbre d'entre elles, Catherine Walters, surnommée Skittles, avaient suscité l'engouement du public, mais les badauds qui attendaient de la voir étaient plus nombreux tous les jours.

Non seulement Catherine Walters déterminait la mode pour les personnes de sa profession, mais elle influençait aussi les dames de l'aristocratie qui s'efforçaient de la copier de toutes les façons.

Si elle portait un chapeau en forme de galette, toutes les femmes l'imitaient. Elles se fournissaient chez son tailleur et cherchaient des chevaux dignes de rivaliser avec les siens.

Lorsque Catherine Walters s'était promenée dans le parc avec un attelage de poneys bruns, on avait offert aux marchands de chevaux jusqu'à six cents guinées pour une paire de poneys aussi bien assortis et aussi fringants.

Personne ne savait dans quel accoutrement elle ferait son apparition et la curiosité atteignait son paroxysme tandis que les belles amazones se rassemblaient devant la statue d'Achille, chacune s'efforçant de se distinguer de ses rivales par quelques originalités. Les habits étaient de toutes les couleurs, bleu pâle, vert émeraude, écarlate, corail, brun, noir. C'était surtout dans les chapeaux qu'on cherchait la fantaisie. Certaines portaient le classique chapeau cylindrique en castor avec un voile flottant. D'autres préféraient le feutre à large bord, plus provocant, ou d'impertinents chapeaux de cavalier à cornes garnis de plumes. Les femmes de la bonne société qui passaient dans leurs victorias ou leurs broughams notaient au passage les innovations de ces créatures qu'elles feignaient de mépriser tout en les enviant.

Les badauds, debout ou assis sur la pelouse, en étaient bouche bée. Mais il n'y avait qu'une personne qui les intéressait véritablement.

— La voilà! s'exclama une femme.

Toutes les têtes se tournèrent, et les spectateurs poussèrent un murmure de désappointement en constatant qu'il ne s'agissait que d'une duchesse ou d'une marquise et non pas de Skittles, leur idole.

— Je me demande si elle viendra à cheval ou en voiture... dit un homme avec un accent populaire.

Les badauds suivirent des yeux une jeune femme qui passait dans un équipage traîné par deux chevaux gris. Subitement, il y eut un silence. Même les belles amazones qui s'entretenaient avec leurs protecteurs en riant un peu trop bruyamment ou minaudaient, devinrent attentives. Venant de Stanhope Gate, on distinguait un cheval et une cavalière qui devait être Skittles.

— La voilà, cria une femme sur un ton voisin de l'hystérie.

La cavalière montait un énorme étalon complètement noir, sans une tache. Sa robe était luisante comme un miroir. Sa crinière et sa queue étaient soigneusement peignées. Il avait un air de majesté qui frappa tous les amateurs de chevaux.

Les badauds, eux, regardaient la cavalière et les belles amazones faisaient de même. C'était une jeune femme qui semblait beaucoup trop frêle pour pouvoir maîtriser un cheval aussi gigantesque. On ne pouvait encore distinguer son visage, mais sa silhouette donnait une impression de grâce et de fragilité. Son vêtement était sensationnel.

L'inconnue portait ce que personne, jusque-là, n'avait osé mettre : une amazone d'une blancheur de lys, fermée sur le devant par des boutons de perle noirs, qui moulait les rondeurs encore juvéniles de son corps délicat et se terminait autour du cou par un jabot de dentelle.

Lorsqu'elle s'approcha, ils virent son visage. Elle avait une peau transparente, une bouche fraîche comme un bouton de rose et de grands yeux effarouchés voilés par des cils sombres. Sous le chapeau haut de forme ceint d'un voile de gaze blanche elle avait un chignon qui fit envie à toutes les femmes.

Jamais on n'avait vu des cheveux de cette couleur, un blond pâle avec des reflets d'or!

On eût entendu une mouche voler lorsque Candida arriva à la hauteur de la statue d'Achille. La foule la regardait avec des yeux écarquillés. Elle fut soudain remplie d'appréhension. Ses doigts gantés de noir se crispèrent sur les rênes.

— Poursuivez votre chemin, lui souffla le capitaine Hooper.

Elle obéit, regardant droit devant elle et dépassa la foule bigarrée qui en demeura bouche bée. Lorsqu'elle se fut éloignée, ce fut un beau tumulte.

— Qui est-ce?

— D'où vient-elle?

— Pourquoi ne l'avons-nous jamais vue?

— Comment s'appelle-t-elle?

— Où le capitaine les a-t-il dénichés? demanda Lais à lord Manville.

Il suivait du regard la cavalière et sa monture.

— C'est un beau cheval, répliqua-t-il.

— N'oubliez pas de parler de Firefly à Hooper, insista Lais. C'est ce cheval-là que je veux, et vous m'avez promis d'acheter celui que je choisirais.

— Je n'oublierai pas, dit lord Manville machinalement.

Puis, impulsivement, il rassembla les rênes et donna un coup de cravache à son cheval.

— Je vais lui parler immédiatement.

Il se lança à la poursuite de Candida et rattrapa le capitaine Hooper à mi-hauteur du Row.

— C'est un beau cheval que vous avez là, Hooper, remarqua-t-il d'un ton un peu condescendant.

— Je pensais bien que Votre Seigneurie l'apprécierait, répondit Hooper en levant son chapeau.

— Combien en voulez-vous?

— Il n'est pas à vendre.

— Pas à vendre!

Candida avait mis Pégase au pas. Les deux hommes la suivaient, mais elle entendait chaque mot de leur conversation.

— Ça ne vous ressemble pas, Hooper. Jamais vous n'avez refusé de vendre un cheval si on vous en offrait le prix voulu.

— C'est un cas différent, my lord. Il y a une condition attachée à la vente.

— Vraiment? Laquelle?

— Ce n'est pas le lieu d'en discuter, my lord, dit Hooper d'un ton respectueux qui atténuait le refus.

Néanmoins lord Manville s'en irrita.

— C'est la première fois que je vous vois aussi évasif.

Candida fit prendre le trot à Pégase. Le capitaine Hooper salua lord Manville du chapeau.

— Je vous demande pardon, my lord.

Et il partit à la suite de Candida sans que l'autre pût ajouter un mot.

Lord Manville entendit derrière lui une voix qui lui était particulièrement antipathique.

— Qui est cette splendide créature? Avez-vous appris son nom, Manville?

C'était sir Tresham Foxleigh, son voisin de campagne, un homme qu'il méprisait profondément. Sir Tresham était très riche, mais il avait mauvaise réputation et on le considérait comme indésirable dans la plupart des clubs de Saint James's Street.

— Je m'intéressais au cheval, répliqua sèchement lord Manville.

— La cavalière et sa monture sont merveilleusement assorties, commenta sir Tresham en suivant Candida des yeux avec un sourire déplaisant. J'espère, Manville, que nous ne serons pas rivaux dans ce domaine comme dans beaucoup d'autres.

— J'espère bien que non.

Coupant court, lord Manville fit faire volte-face à son cheval et se dirigea vers la statue d'Achille. Lais l'attendait. Elle était particulièrement séduisante dans une amazone neuve en velours écarlate bordée de galon noir. Ses yeux brillaient d'impatience.

— Vous lui avez parlé de Firefly? demanda-t-elle.

— Je le ferai plus tard.

— Pourtant, vous l'avez abordé?

— Ce n'était pas le moment de discuter d'affaires.

Lais haussa les épaules. Les belles amazones se dispersaient. Il était manifeste que Skittles, dont les décisions étaient imprévisibles, ne se montrerait pas à ses admirateurs ce matin-là.

La foule s'en allait, en se demandant qui était la belle inconnue. Elle avait indéniablement frappé leur imagination. Lord Manville écoutait leurs commentaires tout en quittant le parc en compagnie de Lais.

Il était aussi curieux que les autres. Où Hooper avait-il pu dénicher un tel cheval et une telle cavalière?

Un souvenir l'obsédait. Lorsqu'il avait demandé au capitaine le prix du cheval, la jeune femme s'était retournée. Son visage exprimait indéniablement l'anxiété. Puis, lorsque le capitaine avait répondu que le cheval n'était pas à vendre, elle s'était rassérénée. Elle avait éprouvé un soulagement presque joyeux.

Pendant le bref instant où elle avait tourné la tête, il l'avait trouvée si belle qu'il avait cru s'être trompé en la jugeant tout d'abord jeune et vulnérable. Sa peau avait un tel éclat qu'il ne pouvait être dû qu'à l'artifice. Pourtant, ce n'était pas l'artifice qui avait produit la beauté du regard ou la couleur étrange et fascinante de sa chevelure.

Mais pourquoi ne l'avait-on pas vue en public plus tôt? Si elle avait eu un protecteur, Hooper ne l'eût pas escortée. Il l'avait délibérément fait valoir. Lord Manville en était certain. Et la mise en scène était si habile qu'il n'aurait pas cru qu'un homme comme Hooper en fût capable.

Hooper était un vendeur de chevaux. Les belles amazones qui avaient rendu son écurie célèbre n'étaient pour lui qu'un moyen d'obtenir un meilleur prix pour ses animaux. Lord Manville avait la conviction qu'il y avait un mystère derrière tout cela. Lais le tira de ses pensées.

— Vous irez voir Hooper? insista-t-elle. Je sais que vous m'avez offert de choisir parmi vos chevaux, mais c'est Firefly que je veux. Vous savez ce que c'est que de se prendre de passion pour un cheval. Je l'ai monté deux ou trois fois et il me plaît comme aucun autre.

— Je vous promets que j'en parlerai avec Hooper, lui assura lord Manville, qui se rendit compte qu'il était heureux d'avoir un prétexte pour se rendre à l'écurie de louage.

— Cet après-midi? reprit Lais avec espoir.

— Nous verrons, répondit lord Manville, évasif.

Néanmoins ce fut avec une curiosité qu'il ne pouvait réprimer qu'il se dirigea vers l'écurie du capitaine Hooper en fin d'après-midi. Il avait attendu délibérément que les belles amazones aient eu le temps de rendre leur monture, dans l'espoir que Hooper serait seul.

Comme il s'y attendait, Hooper était en train de faire le tour des box en inspectant les chevaux et en veillant à ce qu'ils fussent convenablement nourris. Il n'était pas homme à laisser une telle responsabilité au palefrenier en chef, si compétent fût-il.

Le capitaine Hooper, lui, ne fut pas surpris de voir lord Manville, suprêmement élégant et incroyablement séduisant, pénétrer en voiture dans la cour de l'écurie.

Il s'attendait à cette venue. Le poisson avait mordu à l'hameçon. Le valet de Sa Seigneurie sauta à terre pour prendre les chevaux par la bride. Lord Manville traversa avec désinvolture la cour pavée.

— Bonsoir, Hooper. On m'a dit que vous aviez un cheval appelé Firefly et qu'il est à vendre.

Les yeux du capitaine brillèrent. Puis il dit respectueusement :

— En effet, my lord. Voulez-vous y jeter un coup d'œil?

Firefly était dans son box. Le capitaine Hooper ne put s'empêcher de penser à la colère manifestée par Candida devant l'état du cheval lorsque Lais l'avait ramené à l'écurie. Candida venait d'arriver pour sa promenade matinale de 5 h 30 lorsque le palefrenier en chef les avait abordés :

— J'avais oublié de vous dire que Firefly a été rendu hier soir, avait-il annoncé au capitaine Hooper.

— Encore! s'était exclamé le capitaine. Est-ce la seconde ou la troisième fois?

— J'ai l'impression que c'est la quatrième, monsieur. Elle doit tirer une fortune de cet animal.

— Il est en bon état? avait demandé le capitaine.

— Son flanc gauche a été abîmé par l'éperon. J'aimerais que vous veniez l'inspecter.

Le capitaine Hooper, fronçant le sourcil, s'était dirigé vers le box de Firefly. Candida l'avait suivi, étonnée. La femme appelée Lais, qui avait monté le cheval le soir où elle l'avait observée du haut de la tribune, semblait tenir particulièrement à ce que l'homme qui l'accompagnait achète l'animal.

Candida ne comprenait pas pourquoi il avait été rendu à l'écurie. Qu'est-ce que le capitaine et le palefrenier avaient voulu dire en remarquant que c'était la troisième ou la quatrième fois?

En arrivant dans le box, Candida avait vu la blessure infligée par l'éperon. Le cheval était nerveux et s'agitait.

— Doucement, avait dit le palefrenier qui le tenait tandis que le capitaine Hooper inspectait son flanc.

— Mettez-lui un cataplasme, avait ordonné le capitaine.

— J'en avais l'intention, mais je voulais que vous le voyiez d'abord.

— Comment a-t-elle pu traiter un cheval de cette façon? s'était exclamée Candida, incapable de retenir son indignation.

Le capitaine l'avait regardée avec surprise.

— De qui parlez-vous?

— De la femme qui a monté Firefly le soir de mon arrivée. Je n'en ai pas parlé parce que vous m'aviez recommandé de ne pas me montrer. Ils ne m'ont pas vue. J'étais dans la tribune et je l'admirais pendant qu'elle sautait les obstacles. L'homme qui était avec elle a promis d'acheter le cheval. Elle semblait y tenir. Mais dans ce cas, pourquoi avoir usé de l'éperon sans aucun ménagement?

— Je vous ai déjà dit que certaines femmes y prennent plaisir. C'est dommage, parce que Firefly est un cheval docile et bien dressé. L'éperon n'est même pas nécessaire.

— La dernière fois, il était moins abîmé, avait remarqué le palefrenier.

— En effet, répondit le capitaine. Je vais lui compter deux semaines de soins vétérinaires. Cela réduira son bénéfice et lui donnera une leçon.

— Vous avez bien raison, monsieur. C'est le seul langage qu'elles comprennent.

— Je suis soulagée qu'elle ait rendu Firefly, avait déclaré Candida. La prochaine fois, j'espère que vous lui trouverez une bonne propriétaire qui ne maltraite pas un bon cheval.

Les regards du capitaine et du palefrenier s'étaient croisés derrière son dos sans qu'elle s'en rendît compte. Elle détestait du fond de son cœur cette femme si séduisante capable de faire souffrir sans nécessité un cheval aussi docile.

Le capitaine Hooper remarqua avec satisfaction que le flanc de Firefly était guéri lorsqu'il pénétra en compagnie de lord Manville dans le box.

— Désirez-vous le voir à l'œuvre, my lord? demanda-t-il.

— Non, si vous m'assurez qu'il a du souffle et qu'il est bien dressé, je vous fais confiance.

— Je ne vous ai jamais encore vendu un mauvais cheval, n'est-ce pas, my lord?

— Je ne vous conseille pas d'essayer, riposta lord Manville en souriant. Vous n'avez qu'à le faire conduire à mes écuries. Combien en voulez-vous?

— Deux cent cinquante guinées.

— C'est cinquante de trop, mais je ne vais pas discuter. Partageons la différence en deux.

— Vous êtes un trop bon client pour que je n'accepte pas vos conditions.

— C'est sage à vous.

Lord Manville fit mine de s'en aller, puis il remarqua d'un ton indifférent :

— Qu'en est-il du cheval que j'ai vu dans le parc ce matin?

— Comme je l'ai dit à Votre Seigneurie, il n'est pas à vendre.

— Allons donc! Qu'est-ce que vous mijotez?

— Mais rien, my lord. Seulement, le cheval et la cavalière sont inséparables.

— Et il me faudra payer un prix exorbitant pour lui être présenté? Non, décidément, pour le moment, cela ne m'intéresse pas.

— C'est à prendre ou à laisser. Comme vous vous en doutez, j'ai été assailli de demandes.

— Et vous attendez que quelqu'un dans mon genre se présente? suggéra lord Manville.

— Exactement.

— Le diable m'emporte si je me laisse manœuvrer. Je suppose que le prix est trop élevé de toute façon.

— A vos yeux peut-être, admit le capitaine. Mais d'autres sont prêts à le payer.

— Me direz-vous de quoi il s'agit?

Le capitaine Hooper avait jeté un coup d'œil à la pendule.

— Il est près de 6 heures et demie, my lord. Le manège va fermer. Si vous voulez bien monter à la tribune, je voudrais vous montrer quelque chose.

Pendant un instant, lord Manville parut sur le point de refuser. Puis il se mit à rire :

— Très bien, Hooper. J'accepte d'être mystifié. Votre tactique a le mérite d'être amusante. Mais je vous préviens que je suis invité à dîner. Ne me faites pas attendre plus de dix minutes.

— Je vous le promets, my lord.

Lord Manville, affichant une indolence blasée qu'il n'éprouvait pas, pénétra dans le manège et monta dans la tribune. Il s'installa dans le fauteuil destiné à l'origine à son propriétaire. Il flottait dans l'air une odeur de cheval, de poussière et de corps féminins.

Le soleil se couchait, baignant d'or la toiture en verre du manège et lui donnant un air de mystère. Au bout de quelques minutes, la porte s'ouvrit et Candida apparut, montée sur Pégase.

Elle portait son amazone de travail en tissu

sombre, avec une simple blouse blanche. Elle n'avait pas de chapeau. Les derniers rayons du soleil jouaient dans sa chevelure, semblant entourer son visage mince d'un halo.

— J'aimerais que vous fassiez franchir les obstacles à Pégase. Je les ai un peu surélevés.

— Mais volontiers, répondit Candida. Cela lui fera du bien après la promenade au pas dans le parc ce matin.

Lord Manville fut frappé par la qualité musicale de sa voix. Il n'avait jamais vu un visage aussi expressif que celui de Candida, lorsque bouche souriante, yeux brillants, elle incita Pégase à franchir les obstacles. Elle fit plusieurs fois le tour du manège, en accélérant l'allure mais sans jamais forcer le cheval. Son sens du rythme était parfait. Il n'y avait pas un défaut dans sa démonstration.

— Cela suffit pour ce soir, déclara le capitaine Hooper. Si vous voulez bien m'attendre dans mon bureau, je vous reconduirai.

— Je vous attends. Mais je pourrais rentrer seule en toute sécurité.

Elle lui adressa un sourire en passant tandis qu'elle reconduisait Pégase à l'écurie. Les portes se refermèrent derrière elle. Le capitaine Hooper attendit que lord Manville descendît de la tribune. Les regards des deux hommes se croisèrent.

— Vous avez gagné, Hooper, dit lord Manville. Combien voulez-vous pour le cheval... et la présentatrice?

5

Candida, sitôt qu'elle arriva à l'écurie ce matin-là se rendit compte qu'il était arrivé quelque chose. Non seulement le capitaine Hooper la salua avec une brièveté inhabituelle, en détournant la tête, mais les palefreniers, qui bavardaient avec animation, se dispersèrent lorsqu'elle se dirigea vers eux.

Elle courut derrière le capitaine Hooper et le rattrapa avant qu'il n'atteignît son propre cheval, que les palefreniers venaient de sortir de son box.

— Que se passe-t-il? demanda-t-elle d'un ton anxieux.

Il se tourna vers elle et parut sur le point de répondre. Mais il se tut.

— J'ai compris, murmura Candida. Vous avez vendu Pégase.

Il n'eut pas besoin de confirmer sa supposition. Elle lisait la vérité sur son visage.

— Comment avez-vous pu faire une chose pareille? protesta-t-elle. Vous m'aviez promis que vous ne le vendriez pas.

— Je vous ai promis que je ne le vendrais pas tout de suite. Vous l'avez eu pendant trois semaines.

— Que représentent trois semaines, quand il est tout ce que j'ai au monde, le seul être que j'aime?

Sa voix se brisa et ses yeux se remplirent de larmes. Le capitaine Hooper évita de la regarder.

— La situation n'est pas aussi dramatique que vous le pensez. Vous irez avec lui.

— Avec lui? Mais où? Et à quel titre?

— Mme Clinton vous l'expliquera, répondit brièvement le capitaine Hooper.

Il sauta en selle. Candida se rendit compte qu'il l'évitait et qu'il était inutile de le questionner davantage. Elle avait déjà remarqué qu'il observait à son égard une réserve qui excluait toute confidence.

Elle regarda autour d'elle, s'attendant que Pégase fût parti. Mais le palefrenier en chef le conduisait vers le montoir. Elle se mit en selle.

— Je suis vraiment désolé, mademoiselle, lui dit l'homme à voix basse, pour ne pas être entendu du capitaine Hooper. Mais je vous assure que Pégase n'aurait pu trouver un meilleur propriétaire.

Candida, luttant contre les larmes, fut incapable de lui répondre. Le capitaine Hooper et trois palefreniers montés sur d'autres chevaux s'ébranlaient déjà. Il ne lui restait qu'à les suivre.

Ils trottèrent dans Regent's Park en silence. Candida éprouvait le même désespoir que le jour où elle avait conduit Pégase à la foire de Potters Bar.

Elle s'efforçait de se réconforter en se rappelant que le capitaine Hooper avait affirmé qu'elle accompagnerait Pégase chez son nouveau propriétaire. Mais pour combien de temps?

Elle avait subitement peur de l'avenir, non pas seulement pour elle-même mais pour Pégase. S'il était monté par une femme usant d'un éperon? Si on abusait de sa douceur et de sa docilité? Si le propriétaire se révélait cruel et forçait le cheval au delà de sa capacité d'endurance?

« Je préférerais le voir mort », songea Candida.

En revenant du parc, ils passèrent par la rue

où se trouvait la maison de Mme Clinton. Le capitaine dit aux palefreniers de continuer leur route.

— Je vous laisse à la porte, dit-il à Candida.

Elle se rendit compte qu'il souhaitait se soustraire à ses questions.

— Je préférerais travailler au manège et faire sauter les obstacles à Pégase.

Le capitaine ne répondit pas. Candida dit impulsivement :

— Je vous en prie, accordez-moi cette faveur. Ne comprenez-vous pas que c'est peut-être la dernière fois ?

Le capitaine céda à regret. Lisant son acquiescement sur son visage, elle trotta devant lui le long de la ruelle menant à l'écurie.

L'un des palefreniers ouvrit la porte du manège. Elle fit sauter Pégase. Il franchissait les obstacles avec la légèreté d'un oiseau, l'un après l'autre, inlassablement. Il transpirait lorsque Candida l'immobilisa. Elle vit que le capitaine Hooper l'observait. Elle se laissa glisser à terre. Un palefrenier prit Pégase pour le panser.

— Je vous remercie, dit Candida.

— Ecoutez, Candida, intervint le capitaine Hooper d'une voix troublée, je sais que vous pensez que je vous ai trahie, mais je ne pouvais rien faire d'autre.

— Pourquoi ne puis-je pas rester ici avec vous ? J'y ai été très heureuse. Vous avez dit que je travaillais bien. Pourquoi ne puis-je pas continuer à travailler pour vous ?

— C'est impossible. Cela ne pourrait pas continuer éternellement.

— Mais pourquoi ?

Il s'écarta d'elle et elle comprit qu'il ne répondrait pas. Il se retourna encore une fois.

— Permettez-moi de vous donner un conseil, dit-il. N'essayez pas de vous révolter contre la vie. Acceptez les choses comme elles viennent. Vous êtes trop jeune, trop vulnérable, pour ce genre d'existence. Mais quelle autre solution y a-t-il? Je n'en vois aucune. Prenez-en votre parti et essayez de vous y adapter sans résistance inutile. Vous ne feriez que vous blesser davantage.

Sans rien comprendre à son discours, elle le regardait les yeux pleins de larmes.

— Vous avez été très bon pour moi, mais vous ne savez pas ce que c'est que de se sentir seule en sachant que le seul être que vous aimez va vous être ôté.

Le capitaine Hooper secoua la tête et, ne pouvant en supporter davantage, il sortit brusquement du manège pour regagner les écuries.

— Vous feriez mieux de retourner chez Mme Clinton, lui cria-t-il.

Candida eût voulu courir derrière lui pour prendre congé et le remercier de lui avoir permis de monter ses chevaux, mais elle ne le pouvait pas. Elle n'éprouvait plus aucun ressentiment car elle sentait que, à sa façon, le capitaine Hooper s'était efforcé d'agir honnêtement envers elle.

Elle était convaincue qu'il disait vrai en affirmant qu'il n'y avait rien d'autre qu'il eût pu faire et, sans comprendre ce qui s'était passé, elle ne lui en voulait pas.

Lentement, tête basse, elle quitta les écuries et longea la ruelle. Elle n'entendit pas le palefrenier en chef dire au capitaine Hooper :

— Je savais qu'elle en serait affectée. Elle aime passionnément ce cheval.

— Il sera dans de bonnes mains, riposta machinalement le capitaine Hooper. (Puis il ajouta :) Ne me regardez pas ainsi. Ne vous rendez-vous pas compte que j'ai l'impression d'avoir commis un meurtre?

Il réprimanda si furieusement un apprenti pour une faute mineure que l'adolescent en demeura blême et tremblant. Puis il pénétra dans son bureau en claquant la porte derrière lui.

Candida, en arrivant chez Mme Clinton, monta

dans sa chambre. Elle enleva son amazone, se lava et enfila une robe du matin simple mais élégante que Mme Clinton lui avait achetée la première semaine de son séjour à Londres.

La maison était calme et silencieuse. Personne ne devait faire de bruit car Mme Clinton dormait tard. Candida s'était vite rendu compte qu'en raison probablement de la quantité de champagne qu'elle absorbait le soir, Mme Clinton avait les yeux bouffis et l'humeur irritable jusqu'au déjeuner. Elle cherchait donc à l'éviter.

Enlevant ses pantoufles, elle se glissa sans bruit jusque dans la salle à manger, où le petit déjeuner était préparé. Elle se dit que si elle mangeait quelque chose elle risquait d'avoir la nausée. Elle se contenta donc d'une tasse de thé, en s'efforçant de deviner ce que serait l'avenir pour Pégase et pour elle-même.

Elle fut étonnée lorsque la porte s'ouvrit et que Mme Clinton surgit, tout habillée et prête à sortir. Elle semblait d'excellente humeur.

— Bonjour, Candida. Avez-vous fait une belle promenade? Il devait faire bon dans le parc.

Les mains de Candida se crispèrent.

— Le capitaine Hooper m'a dit que vous me parleriez de la vente de Pégase.

— Mais bien sûr que je vais vous en parler. Vous avez beaucoup de chance. Beaucoup plus que vous ne l'imaginez.

Candida attendit, muette et pâle. Mme Clinton se força à sourire.

— N'ayez pas cet air tragique, mon enfant. Vous allez être très contente quand je vous expliquerai ce qui a été prévu pour vous.

— Le capitaine Hooper m'avait promis qu'il ne vendrait pas Pégase, balbutia Candida.

— Ne soyez pas ridicule! Vous ne pouvez pas passer le restant de vos jours à travailler dans une écurie. Ce n'est pas pour cela que je vous ai habillée et transformée en sensation.

— Si seulement ils n'avaient pas vu Pégase! Si nous n'avions pas été dans le parc, murmura Candida. C'est cela qui a provoqué la vente, n'est-ce pas?

— Mais bien entendu. Et le fait que c'était vous qui le montiez. Vous étiez magnifiquement assortis. Tout Londres en parle.

Candida écarta le sujet de la main.

— Cela ne m'intéresse pas. Je voudrais savoir ce qu'il va nous advenir, à Pégase et à moi.

— C'est ce que je vais vous dire.

Mme Clinton détourna les yeux. Candida eut l'impression qu'elle cherchait ses mots. C'était juste. Mme Clinton, pendant tout le temps où elle s'habillait, s'était demandé comment elle s'y prendrait.

Candida était absurde d'innocence. Il était impossible d'avoir une conversation sérieuse avec une jeune fille qui ne pensait à elle-même qu'en fonction de son cheval.

Mme Clinton avait des raisons d'être de bonne humeur. Elle avait vécu le triomphe de sa carrière la veille, quand John lui avait annoncé que lord Manville la demandait.

C'était ce qu'elle avait espéré, le but de ses efforts. Il semblait presque incroyable que le plan qu'elle avait conçu avec le capitaine Hooper eût si bien marché.

— Priez-le de monter, John, avait-elle dit en s'efforçant de réprimer son sourire de triomphe.

Elle était debout devant la cheminée du salon lorsque lord Manville était entré. Elle l'avait vu fréquemment en public, mais elle ne s'était jamais rendu compte à quel point il était grand, beau, robuste.

« Il n'est pas étonnant qu'on l'ait surnommé le bourreau des cœurs, avait-elle songé. Il faudrait qu'une femme fût anormale pour ne pas tomber amoureuse de lui. »

Elle avait compris immédiatement qu'il n'était

venu la voir que parce qu'il y était obligé. Il s'était toujours refusé à faire appel à ses services dans le passé. Bien qu'il fût pris au piège, il fallait user de diplomatie.

Elle fit une révérence.

— C'est un grand honneur que vous me faites, my lord. J'espérais depuis longtemps vous rencontrer un jour.

— J'ai entendu parler de vous, madame Clinton, riposta froidement lord Manville. Mais je n'ai jamais eu besoin de vos services. Néanmoins le capitaine Hooper m'a convaincu que vous seule pouviez effectuer la présentation qui est nécessaire dans le cas présent.

— Il a eu raison. Ne voulez-vous pas vous asseoir et prendre un verre de champagne?

— Non, merci. Je voudrais que cette affaire soit conclue le plus rapidement possible.

— Soit, my lord. Ce que vous désirez, c'est que je vous présente Mlle Candida Walcott.

— Très juste. J'ai déjà remis au capitaine Hooper un billet à ordre de deux mille guinées. Une somme exorbitante, mais le cheval est très beau.

— La cavalière est tout aussi exceptionnelle, je vous assure.

— Je l'espère. J'ai cru comprendre qu'il y a une note à régler pour ses vêtements.

— En effet, my lord. Cette jeune fille est venue chez moi sans rien...

Lord Manville lui coupa la parole d'un geste de la main :

— Epargnez-moi ces détails, l'histoire de la personne en question ne m'intéresse pas. Je voudrais simplement savoir quelle somme vous me demandez et si cette dame est prête à m'accompagner après-demain à Manville Park.

— Elle sera prête, promit Mme Clinton. Désirez-vous que je la fasse appeler maintenant?

— Ce n'est pas nécessaire. Je ferai prendre ses bagages vers 9 heures et je viendrai la chercher moi-même vers 10 heures et demie si cela vous convient.

C'était plus un ordre qu'une requête.

— Candida sera prête, répéta Mme Clinton, et vous me devez environ deux cents livres.

— Je vous les ferai envoyer dans le cours de la journée.

Faisant volte-face, il s'était dirigé vers la porte. Au moment de l'ouvrir, il avait incliné la tête.

— Je vous souhaite le bonjour, madame.

— Bonjour, my lord, et merci, avait riposté Mme Clinton d'une voix qu'elle espérait aussi froide que la sienne.

La porte s'était refermée et elle l'avait entendu descendre l'escalier. Elle avait étouffé un rire. Quelle arrogance!

Mais c'était un homme exceptionnel. Elle n'avait pu s'empêcher de se précipiter vers la fenêtre pour le regarder, derrière les rideaux, traverser la rue et monter dans son tilbury. Il avait pris les rênes, le long fouet dans sa main droite, et le valet, lâchant la bride du cheval de tête, avait couru vers le siège arrière sur lequel il eut tout juste le temps de se hisser tandis que la voiture s'ébranlait.

Mme Clinton l'avait suivi des yeux jusqu'à ce qu'il eût disparu. Lord Manville, avec ses traits presque classiques, la dureté de sa mâchoire, sa carrure, son élégance, avait de quoi séduire n'importe quelle femme, même aussi désabusée qu'elle.

Et elle avait réussi à l'amener à merci. Elle l'avait obligé à lui rendre visite après toutes ces années où il l'avait évitée bien qu'elle eût reçu presque tous ses amis.

Elle avait gagné. Son ingéniosité et son habileté étaient venues à bout de ce qui paraissait impossible. Elle avait retenu l'attention du bourreau des cœurs en le contraignant à avoir recours à elle.

Chacun l'apprendrait tôt ou tard et sa réputation grandirait d'autant.

Néanmoins, comment expliquer cette victoire à Candida? Cette question l'avait troublée même à l'instant de son triomphe. Elle s'était reprochée cette absurdité. Jamais jusqu'à présent elle ne s'était inquiétée des sentiments des femmes qu'elle lançait.

Elles n'avaient été qu'une liste de noms sur son calepin, qui lui rapportait un revenu considérable et croissant.

Mais Candida, c'était différent. Bien qu'elle refusât de préciser cette différence. Elle choisit ses mots avec soin.

— C'est lord Manville qui a acheté Pégase, dit-elle, en s'attendant à voir le visage de Candida s'illuminer à entendre ce nom.

Mais Candida demeura silencieuse.

— Lord Manville est un véritable gentleman, reprit Mme Clinton, et le capitaine Hooper pense qu'il est le meilleur juge de chevaux de toute l'Angleterre. Pégase a beaucoup de chance d'avoir été admis dans ses écuries.

— Le capitaine Hooper a dit que je devrais aller avec Pégase. Mais pourquoi faire?

— Je pense qu'il vaut mieux que lord Manville vous l'explique lui-même. Il vient vous chercher demain matin pour vous emmener à la campagne. On m'a dit que Manville Park était une propriété magnifique. Maintenant, il faut que j'aille voir Mme Elisa pour régler mes dettes. Vous devriez monter et commencer à faire vos bagages. Mieux vaut vous en charger vous-même. Rose est maladroite et chiffonne les robes.

— Je n'ai pas de malles.

— J'ai oublié de vous prévenir que j'en ai acheté pour vous. Je dirai à John de les descendre du grenier.

— Vous avez acheté des malles? Vous vous attendiez donc que je vous quitte? Mais pourquoi? Qu'ai-je fait? J'aimais bien vivre avec vous.

— Je sais, ma chère, moi aussi j'appréciais vo-

tre compagnie. Mais cela ne pouvait pas durer
toujours. Je n'ai jamais eu de jeune fille dans ma
maison jusqu'à présent. D'ailleurs...

— Oui?

— N'importe, répliqua brusquement Mme Clinton. Je ne peux pas m'attarder à bavarder. Il faut
me faire confiance, Candida. Je sais ce qui est
bon pour vous.

— Vous reverrai-je?

— Certainement. Vous reviendrez. Elles revien-
nent toutes. Mais ce sera différent.

On eût dit qu'elle se parlait à elle-même. Candida la regarda, perplexe :

— Je ne comprends pas. Si seulement vous
vouliez m'expliquer ce qui se passe.

— Je n'en ai pas le temps, coupa Mme Clinton
avec agacement. Si je ne vais pas voir Mme Elisa
maintenant, elle risque d'être partie chez une
cliente. Montez dans votre chambre, Candida, et
commencez à faire vos bagages. Cela vous prendra
un certain temps. Après, vous pourrez changer la
housse du coussin de satin du salon. Lord Lind-
thorp a encore renversé son verre de porto dessus
hier soir. Que ne boit-il du champagne qui ne fait
pas de taches! Vous trouverez une housse dans
l'armoire à linge.

— J'y penserai, promit Candida.

Mme Clinton était sortie sans attendre sa réponse. John, dans le hall, ouvrait la porte d'entrée.

Lentement, avec effort, Candida monta l'escalier.
Dans sa chambre, elle s'assit sur son lit. Elle se
posait toujours plus de questions. Pourquoi personne ne lui expliquait-il ce que lord Manville attendait d'elle?

Il était manifestement très riche. Peut-être
avait-il un manège. Mais l'idée était absurde.
Néanmoins, il était réconfortant de penser qu'elle
ne serait pas séparée de Pégase. Elle regrettait de
devoir quitter le capitaine Hooper et Mme Clin-

ton, pour laquelle elle s'était prise d'affection. Mme Clinton était lunatique, mais bonne à sa façon.

Candida savait que Mme Clinton lui avait appris beaucoup de choses utiles. Par exemple, si lord Manville lui demandait d'organiser un dîner, elle était capable de le faire. Elle pouvait également tenir les comptes, et diriger les domestiques d'une grande maison.

Grâce à Mme Clinton, elle savait danser et adapter sa révérence au rang des personnes qu'elle rencontrait, même s'il s'agissait d'un prince du sang, bien que cette éventualité fût improbable.

Mme Clinton avait été bonne pour elle et le capitaine Hooper aussi. Elle s'était beaucoup amusée à dresser ses chevaux et à leur apprendre à faire docilement le tour du manège, au point qu'ils ne présentaient plus aucun risque pour une cavalière inexpérimentée. Et elle avait pu monter Pégase tous les jours et le faire sauter.

Elle avait envie de pleurer à l'idée de quitter tout cela, mais ses yeux demeuraient secs. Sur ces entrefaites, John arriva avec les malles, dont le couvercle bombé était recouvert de cuir noir. Il y en avait cinq de tailles différentes. Il les déposa sur le tapis de la chambre à coucher.

— Et voilà. Je suis désolé de vous voir partir, mademoiselle.

— Et moi, je n'en ai aucune envie, répondit Candida lamentablement.

— Ma mère avait l'habitude de dire qu'il faut savoir supporter ce qu'on ne peut éviter. Prenez courage!

Un peu réconfortée, Candida passa une heure à faire ses bagages. Puis le dos rompu, elle se dit qu'elle allait changer la housse du coussin du salon avant le retour de Mme Clinton.

Elle prit la housse propre dans l'armoire à linge. Elle était en satin rose brodé de myosotis.

Candida pensa avec un demi-sourire que sa mère l'aurait trouvée de mauvais goût. Néanmoins, elle sentait bon les sachets de lavande dont Mme Clinton garnissait son armoire.

Candida alla dans le salon et vit aussitôt le coussin sur lequel Sa Seigneurie avait laissé une grande tache de porto. Elle était en train de changer la housse lorsqu'elle entendit un bruit de voix.

L'une était bruyante et impérieuse, bien que les paroles ne fussent pas saisissables. L'autre était celle de John qui protestait.

« Ce doit être un ami de Mme Clinton, pensa Candida. Mais il est étrange qu'il vienne à cette heure-ci. D'habitude, il n'y a pas de visites avant le soir. »

A son étonnement, les voix se rapprochèrent et l'on ouvrit la porte du salon.

— Je vous ai dit, monsieur, que Mme Clinton n'était pas là! cria John, désemparé.

— Ne vous inquiétez pas de cela, mon ami, dit l'homme en l'écartant de force. C'est cette jeune dame que je désire voir. Je n'ai aucun besoin de Mme Clinton.

Il ferma la porte au nez de John. Candida dévisagea avec surprise un homme d'âge moyen, grand, corpulent, dont l'expression l'effaroucha. Comme Mme Clinton le lui avait appris, elle fit la révérence.

— Mme Clinton n'est pas là, j'en ai peur, dit-elle. Si vous voulez bien l'attendre, je crois qu'elle n'en a pas pour longtemps.

— Je ne suis pas pressé. C'est vous que je veux voir, ma chère, depuis hier matin. Et on m'a toujours déjoué. Mais nous voilà enfin l'un en face de l'autre. Procédons aux présentations.

— Je suis désolée, protesta Candida, mais j'ai des choses à faire. Veuillez m'excuser.

— Je m'y oppose absolument.

— Je ne pense pas que Mme Clinton...

— Le diable emporte Mme Clinton. Pourquoi parler de cette peste alors que j'ai envie de parler de vous? Je suis sir Tresham Foxleigh. Comment vous appelez-vous?

— Candida Walcott.

— Un joli nom pour une jolie personne. Venons droit au fait. Je vous ai vue hier et j'ai compris aussitôt que vous étiez le genre de pouliche que je cherchais. J'ai une petite villa pas très loin d'ici qui vous plaira beaucoup. En ce qui concerne les chevaux, mon écurie est à votre disposition. S'il y a autre chose que vous désiriez, je vous l'achèterai.

— C'est très bon à vous, répondit Candida, stupéfaite, mais...

— Bon? Bien sûr que j'ai l'intention d'être bon. Et vous serez gentille avec moi, n'est-ce pas? Je vous assure que je suis capable d'apprécier une jolie personne comme vous beaucoup plus que les jeunes écervelés que vous fréquentez. Et je vous promets que vous aurez un cadre digne de votre beauté. C'est ce que désire chaque femme. Il n'y a pas de si beau bijou qu'il n'ait besoin d'un bel écrin. C'est ce que j'ai l'intention de vous offrir.

— J'ai peur de ne pas pouvoir accepter de cadeaux d'un inconnu.

Sir Tresham se mit à rire à gorge déployée.

— Admirable! Rien ne peut être plus excitant que l'ingénuité et le désintéressement. Vous êtes aussi habile que votre apparition sur ce monstre de cheval le donnait à penser. Je me demande où Hooper l'a déniché.

Candida se pétrifia. Elle était sûre que l'homme avait le cerveau dérangé. Mais ce n'était pas une raison pour dénigrer Pégase.

— J'ai bien peur d'être réellement occupée, monsieur, dit-elle en se dirigeant vers la porte.

Il lui coupa le chemin.

— Non, vous n'allez pas vous sauver ainsi. Je vous effraie? Bon, je vais y mettre les formes. Je

suis un homme sans façon, qui va droit au but.
Mais si vous aimez les simagrées, je suis d'accord.
Me permettrez-vous, ma chère, mon adorable Candida, de vous inviter à déjeuner ou à dîner?

— Non, j'en ai peur.

— Vous avez déjà un engagement? Eh bien, dites à l'individu en question que cela ne vous intéresse plus. C'est moi qui serai votre protecteur et personne d'autre. J'y suis résolu.

Il ne faisait plus de doute pour Candida que l'homme était fou. Mais il se trouvait entre elle et la porte. Elle eut une idée.

— Laissez-moi aller vous chercher un rafraîchissement.

Elle essaya de passer à côté de lui, mais il la saisit dans ses bras.

— Vous êtes le seul rafraîchissement dont j'aie besoin. Allons, ma chère, un petit baiser, et nous pourrons penser aux choses sérieuses.

Candida étouffa un cri et se débattit. Elle se rendit compte avec horreur que l'homme était extrêmement fort et ne faisait que rire de ses tentatives pour le repousser. Il l'attira à lui. Elle appela à l'aide. Au même instant la porte s'ouvrit:

— Que se passe-t-il? demanda Mme Clinton.

Sir Tresham se retourna et desserra son étreinte. Candida lui échappa aussitôt et, passant à côté de Mme Clinton, elle sortit en courant du salon et monta l'escalier. Elle avait les joues en feu et le souffle oppressé lorsqu'elle pénétra dans sa chambre à coucher. Elle ferma la porte et tourna la clef dans la serrure.

« Comment un homme peut-il se comporter d'une telle façon? » songeait-elle. Comment avait-il osé lui dire de telles insanités puis tenter de l'embrasser?

Elle était choquée et écœurée. Mais elle était convaincue qu'il était fou. Seul un fou offrait des cadeaux à une inconnue. C'était surtout la façon dont il l'avait regardée qu'elle jugeait répugnante.

Sans pouvoir en donner la raison, elle éprouvait une répulsion instinctive. Elle avait honte d'avoir dû demeurer si longtemps dans le salon.

A l'étage inférieur, Mme Clinton disait :

— Vous n'avez pas le droit de vous introduire de force chez moi, sir Tresham. John vous avait dit que je n'étais pas là. Votre comportement est indigne d'un gentleman.

— Allons, allons, pas de grands airs avec moi, répliqua sir Tresham avec un sourire dédaigneux en s'installant confortablement dans un fauteuil.

Il reprit :

— Vous savez la raison de ma visite. Autant nous entendre tout de suite. Je suis un de vos bons clients.

— Vraiment? Vous m'étonnez. Apparemment, la dernière femme que je vous ai présentée ne vous a pas donné satisfaction.

— Je ne comprends pas ce que vous voulez dire.

— Vous comprenez fort bien. Vous m'avez promis non seulement cent guinées pour la présentation, mais cinquante livres pour les vêtements que j'avais achetés pour elle. Mais une fois qu'elle s'est installée dans votre villa, vous avez prétendu qu'ils n'étaient pas neufs, qu'ils avaient servi en d'autres occasions, et vous ne m'avez pas payée.

Sir Tresham toussota avec embarras.

— Je suis riche, madame Clinton, mais je n'aime pas être grugé. Cette fille, je l'ai appris par la suite, avait déjà été vue chez Cremorne et Kate Hamilton dans la moitié des robes que vous m'avez assuré avoir achetées pour mon plaisir personnel. En fait, j'avais l'intention de vous payer. Cette fille m'a amusé pendant six mois.

— Néanmoins, j'attends toujours l'argent.

— Vous l'aurez. Je vous établis un chèque immédiatement ou préférez-vous des espèces?

Il tira de son portefeuille une liasse de billets de dix livres. Il en compta cinq qu'il lui tendit.

Mme Clinton les mit dans un tiroir de son bureau. Puis elle dit :

— Et maintenant, sir Tresham, je vous serai reconnaissante de vous retirer. Je ne traite pas d'affaires à cette heure-ci.

— Ecoutez, madame Clinton, protesta-t-il, je suis déjà venu hier à 3 heures et l'on m'a dit que vous n'étiez pas là. Je suis revenu à 5 heures, puis à 7, et je me suis fait éconduire chaque fois. Je veux cette fille et, si nécessaire, le cheval. Je paierai ce qu'il faudra.

Mme Clinton sourit :

— Je suis désolée, mais il est trop tard.

— Trop tard? Qui m'a devancé?

— Cela ne vous regarde pas.

— Je ne tolérerai pas qu'un jeune gandin me prenne de vitesse. Qui est-ce? Manville?

— Vous me connaissez suffisamment, sir Tresham, pour savoir que je ne discute jamais les affaires privées de mes clients. Si vous voulez bien m'excuser, je vais prendre congé. Si vous voulez venir ce soir, je m'efforcerai de vous trouver une personne à votre goût. Je connais une jeune veuve que vous n'avez pas encore vue.

— Je me moque de votre jeune veuve! Je veux Candida et je suis décidé à l'avoir! hurla sir Tresham.

Mme Clinton secoua la tête et tira sur la sonnette.

— Vous ne pouvez pas me faire cela, protesta sir Tresham avec colère lorsque John ouvrit la porte.

— Sir Tresham s'en va, John, dit Mme Clinton froidement. Veuillez le reconduire.

— C'est la dernière fois que vous me jouez ce tour-là, gronda sir Tresham.

Néanmoins, il quitta la pièce et précéda John dans l'escalier. Mme Clinton poussa un soupir, mais sans être autrement émue. Elle avait l'habitude de mater ce genre d'hommes. Ils faisaient toujours des scènes lorsqu'ils n'obtenaient pas ce qu'ils voulaient. Mais même si sir Tresham la boudait pendant quelques mois, il finirait par revenir.

Il n'y avait personne d'autre à Londres qui pût fournir des femmes aussi cotées.

Elle espérait seulement qu'il n'avait pas effrayé Candida. Les réactions d'une jeune personne aussi innocente et sensible étaient imprévisibles. Candida risquait de prendre la fuite ou de refuser de suivre lord Manville.

Le visage anxieux, Mme Clinton monta l'escalier et alla frapper à la porte de la chambre à coucher.

— Qui est là?

La voix de Candida exprimait de la peur.

— Ce n'est que moi, ma chère.

Candida ouvrit la porte.

— Est-il parti?

Mme Clinton pénétra dans la chambre et regarda autour d'elle.

— Je vois que vous avez terminé vos bagages, remarqua-t-elle d'un ton d'approbation. J'espère que sir Tresham ne vous a pas trop importunée. Il était ivre et, chaque fois qu'il a bu il divague. J'espère que vous ne l'avez pas pris au tragique.

— Il m'a fait peur.

— Ah! il doit s'être bien mal comporté, dit Mme Clinton avec sympathie. S'il se met dans ces états, c'est parce que c'est un homme seul. Sa femme est tombée malade peu après leur mariage et ils n'ont jamais eu d'enfants. On ne peut s'empêcher de le plaindre. Et une fois qu'il a bu, il ne sait plus ce qu'il fait. Demain, il aura oublié ce qu'il vous a dit, et même que vous existez.

— En êtes-vous sûre?

— Je le connais depuis des années. N'y pensez plus. Je l'ai grondé d'être venu à une heure où il était improbable que je sois chez moi. Je pense qu'il vous a vue dans le parc et qu'il s'est mis en tête qu'il vous admirait. Vous a-t-il proposé quelque chose?

— Il voulait me donner une villa et des chevaux. Je n'y ai rien compris.

— Cela ne voulait rien dire. Il est très riche et fait cadeau de son argent à toutes sortes de personnes. On m'a dit que, l'autre jour, il a donné dix livres à un balayeur qui en a eu une attaque. Voilà sir Tresham. Il est plein de lubies, mais c'est une bonne âme.

Candida se mit à rire.

— Je comprends. Je n'aurais pas dû avoir peur, mais il ne voulait pas me lâcher et, lorsqu'il a cherché à m'embrasser, je l'ai trouvé répugnant.

— Vous avez raison. Moi, je le connais depuis si longtemps que je le supporte comme un vieil ami. N'y pensez plus, il est tout à fait improbable que vos chemins se croisent. La prochaine fois que vous le rencontrerez. il vous aura totalement oubliée. Comme je l'ai dit, il se comporte toujours ainsi quand il a bu.

— Je comprends. Je n'ai guère l'expérience des hommes et je ne sais pas comment me comporter avec eux.

— Vous apprendrez. Maintenant, vous feriez mieux d'achever de faire vos bagages. Il reste les chapeaux à emballer et ils exigent des soins particuliers.

— Je sais. Pensez-vous que je pourrai aller aux écuries ce soir, quand les autres seront partis? Je voudrais m'assurer que Pégase va bien.

Mme Clinton hésita un moment, puis répondit.

— C'est inutile. Je viens de voir le capitaine Hooper qui m'a dit que le palefrenier de lord Manville venait de partir avec Pégase. Il l'emmène à Manville Park. Vous l'y retrouverez demain.

En voyant l'expression de Candida, elle quitta précipitamment la pièce. « Dieu sait ce qu'il va advenir de cette enfant, songea-t-elle, je n'aurais pas dû m'en charger. »

6

Il était exactement 10 h 30 lorsque la voiture de lord Manville s'arrêta devant la maison de Mme Clinton. C'était un cabriolet avec un valet à l'arrière et une capote qu'on pouvait rabattre par mauvais temps.

Mais, ce matin-là, le soleil faisait étinceler les cuivres des harnais d'une paire de magnifiques chevaux bais et le chapeau satiné de Sa Seigneurie. Les cuivres du cabriolet luisaient aussi comme des miroirs.

Mme Clinton, qui avait guetté lord Manville derrière les rideaux de la fenêtre du bureau, remarqua :

— Je n'ai jamais vu un équipage aussi élégant. N'importe quelle femme serait flattée qu'on vienne la chercher avec un tel déploiement de luxe.

— Il est là? murmura Candida.

Elle avait la bouche sèche et ses mains tremblaient. Mme Clinton s'en aperçut.

— Ne soyez pas si nerveuse, mon enfant. Vous êtes ravissante et lord Manville l'appréciera, je vous l'assure. Souvenez-vous de mes recommandations et vous verrez qu'il s'ingéniera à vous faire plaisir.

— Je m'y efforcerai, promit Candida.

La porte s'ouvrit et Mme Clinton se retourna,

avec un regard plein d'espoir. Mais ce n'était que John.

— Sa Seigneurie vous présente ses compliments, madame, et prie Mlle Candida de le rejoindre dehors. Ses chevaux sont nerveux.

Mme Clinton pinça les lèvres. Elle n'était pas dupe du prétexte. Lord Manville avait pénétré dans sa maison une fois et n'avait pas l'intention de le faire de nouveau.

Après tout, qu'importait puisqu'elle était parvenue à ses fins?

— Venez, Candida, dit-elle avec un sourire forcé. Vous serez obligée de faire votre révérence sur le trottoir. On ne discute pas avec un homme qui s'inquiète de ses chevaux.

Tandis qu'elle descendait les marches du perron à la suite de Mme Clinton, dont l'imposante crinoline balayait les pavés, Candida se sentait incapable de regarder lord Manville. Elle n'avait fait que l'entrevoir dans le parc pendant qu'il parlait avec le capitaine Hooper et elle eût été bien en peine de dire s'il était brun ou blond, gros ou mince.

Quelle que fût son apparence, il tenait désormais sa destinée entre ses mains et elle n'avait pas le courage de le dévisager.

— Bonjour my lord, dit Mme Clinton.

— Bonjour, madame Clinton, je vous prie de m'excuser de n'avoir pas confié mes chevaux au valet, mais ils sont fougueux et je voudrais partir le plus vite possible.

— Je comprends parfaitement, my lord. Puis-je vous présenter Mlle Candida Walcott? Candida, lord Manville.

Candida fit une révérence. Lorsqu'elle se redressa, son regard rencontra les yeux de lord Manville. Il la dévisageait avec curiosité mais, lui sembla-t-il, de la réserve. Puis, l'espace d'un instant elle eut l'impression qu'un courant de sympathie passait entre eux.

Ce fut si fugitif cependant qu'elle se demanda aussitôt si elle n'avait pas été le jouet de son imagination. Elle baissa de nouveau les yeux. Lord Manville, maîtrisant les chevaux, dit :

— Je suis heureux de faire votre connaissance, mademoiselle Walcott. J'espère que vous n'avez pas d'objection à voyager en voiture ouverte.

— Aucune, répondit Candida timidement.

— Au revoir, ma chère, dit Mme Clinton.

Candida se retourna dans l'intention de lui serrer la main ou de l'embrasser, mais l'autre s'éloignait déjà. Candida la suivit des yeux, perplexe.

— Permettez-moi de vous aider, mademoiselle, intervint John respectueusement.

Il l'aida à monter dans le cabriolet, arrangea sa jupe, et lui couvrit les jambes d'une couverture légère, qu'il ramena sous ses pieds.

— Je vous remercie pour tout ce que vous avez fait pour moi, John, dit Candida. Je regrette de ne pas pouvoir vous donner d'argent.

Elle avait parlé à voix basse, mais lord Manville l'avait entendue.

— Pas d'argent? Il faut que j'y remédie.

Il mit la main dans sa poche.

— Désirez-vous lui donner une guinée ou deux?

Il les lui tendit sur sa main gantée. Candida, en regardant les pièces brillantes, éprouva une subite répugnance à les accepter. Elle faillit refuser mais se rendit compte que John en supporterait la conséquence.

— Vous êtes bien bon, balbutia-t-elle. Voudriez-vous avoir la gentillesse de donner cet argent à John vous-même?

Lord Manville haussa les sourcils, mais cria à John :

— Tenez, mon brave, voilà pour votre peine.

Il lui lança une pièce d'or que John saisit au vol.

— Je vous remercie, my lord, dit-il avec un sourire.

Lord Manville tira sur les rênes, toucha les chevaux de son fouet et, tandis que le valet courait grimper sur le siège arrière, le cabriolet s'ébranla. Candida apprécia l'art avec lequel lord Manville le conduisait, à un rythme égal et sans heurts. Lorsqu'ils prirent la direction du nord, elle dit timidement :

— Je vous remercie d'avoir donné cet argent à John.

— J'aurais dû y penser moi-même, répliqua lord Manville. (Puis il reprit :) De quoi lui étiez-vous donc si reconnaissante? Vous transmettait-il les billets doux de vos admirateurs?

Candida secoua la tête :

— Je n'ai pas d'admirateurs.

Lord Manville, tout en surveillant les chevaux, eut un sourire un peu cynique.

« Ainsi, c'est là son jeu? songea-t-il. Ma foi, il s'accorde avec son air de jeunesse ingénue. »

Il ne lui restait qu'à espérer qu'elle persisterait à jouer ce personnage. Il contribuerait à la réalisation de ses plans si elle s'y montrait convaincante. Mais elle ne pouvait duper un homme aussi expérimenté que lui. Il connaissait à fond toutes les ruses et les comédies des belles amazones. Elles y excellaient autant qu'à monter les chevaux. On ne pouvait en exiger davantage.

Il était satisfait de ne pas s'être trompé dans le jugement qu'il avait porté sur Candida. Elle était aussi élégante et séduisante en tant que femme qu'en tant que cavalière. Lorsqu'elle avait descendu les marches du perron à la suite de Mme Clinton, il avait pensé, avec une sentimentalité qui lui était inhabituelle, qu'elle était fraîche comme un bouton de rose.

Mme Clinton avait choisi la robe de Candida avec un soin tout particulier. Elle était rose pâle, avec une jupe à crinoline dont le tissu, avait affirmé Mme Elisa, venait de Paris. Elle s'accompagnait d'une veste ajustée d'un ton un peu plus soutenu, qui s'arrêtait à la taille. Le chapeau était de paille rose, très simple mais attaché par un ruban de satin bleu pâle qui mettait en valeur le teint et les cheveux dorés de la jeune fille.

Ils voyagèrent un moment en silence. Puis lord Manville remarqua que Candida s'intéressait à ses chevaux.

— Que pensez-vous de mon attelage?

— Les chevaux sont magnifiques. Je n'ai jamais vu un assortiment aussi parfait. Sont-ils jumeaux?

— Non, ils ont un an de différence, mais ils proviennent, bien entendu, de la même jument et du même étalon.

— Une telle ressemblance est inhabituelle. On m'a dit que la mère de Pégase n'a jamais eu d'autre poulain entièrement noir.

— C'est une belle bête, approuva lord Manville. Vous le montez depuis longtemps?

— Je l'ai eu lorsqu'il était un poulain.

Lord Manville en fut surpris. Il pensait que Pégase était une trouvaille du capitaine Hooper et que celui-ci avait eu l'adresse de découvrir avec l'aide de Mme Clinton une jeune femme qui saurait le faire valoir.

Ils avaient quitté Londres. Mais il y avait encore beaucoup de circulation et toute son attention était absorbée par la conduite du cabriolet entre les voitures particulières et les charrettes de marchandises.

Ils croisèrent la malle-poste qui arrivait à fond de train, chargée de voyageurs et de bagages.

— Elle est surchargée, remarqua Candida. Ils ne devraient pas imposer un tel effort aux chevaux.

Lord Manville la regarda, étonné.

— La plupart des gens prétendent que la malle-poste ne va pas assez vite.

— Ce ne sont pas eux qui la tirent. Savez-vous que ces chevaux ne vivent que trois ans? Après cela, ils n'ont plus de souffle et ne sont bons, la plupart du temps, que pour l'équarrisseur.

Elle parlait avec une telle indignation que lord Manville répliqua :

— Je vois que vous aimez vraiment les chevaux. Je vous donne raison, les voitures qui effectuent de longs trajets sont souvent trop chargées.

— Que dire des omnibus qui transportent jusqu'à dix passagers sur de courtes distances? Pourquoi ne faites-vous rien pour empêcher un tel scandale? Un homme comme vous, qui siège à la Chambre des Lords, pourrait soulever le problème et obtenir qu'une loi protège les animaux qui ne peuvent se défendre.

— Je vois que vous êtes une réformatrice, rétorqua lord Manville sèchement.

Candida rougit et se souvint trop tard des dernières recommandations de Mme Clinton.

— Souvenez-vous, avait-elle dit, que la fonction d'une femme est d'être jolie et d'une compagnie agréable. Quoi que lord Manville vous demande, il faut lui obéir si vous voulez rester avec votre cheval. Si vous vous montrez contrariante ou capricieuse, il vous renverra. Les hommes détestent par-dessus tout les femmes qui font des scènes et ne se plient pas à leurs désirs. Si vous êtes conciliante, votre vie en sera facilitée d'autant.

— Je m'y efforcerai, avait promis Candida tout en se demandant ce que lord Manville attendait d'elle.

— Les choses ne se passent pas toujours comme nous le pensions, avait poursuivi Mme Clinton, sans regarder Candida, en jouant nerveusement avec le journal du matin posé à côté de son assiette.

— Mais je ne sais même pas à quoi m'attendre, avait protesté Candida.

— Dans ce cas, je ne doute pas que vous soyez surprise, et je vous supplie, au nom de votre propre bien, de faire ce qu'on vous demandera sans histoires.

— Mais pourquoi ferais-je des histoires?

— Il y a des femmes qui aiment se donner de

l'importance, et d'autres ont des idées préconçues sur la vie. La plupart d'entre elles ne sont qu'agaçantes.

— J'essaierai de vous faire honneur. Il ne faut pas me croire ingrate. Vous m'avez tant appris et donné de si beaux vêtements! Vous n'auriez pas pu être plus généreuse si vous étiez une parente.

Elle avait eu l'impression que Mme Clinton était gênée, sans comprendre pourquoi. Elle avait pensé qu'elle était le genre de personne qui ne voulait pas être remerciée pour ses bontés.

— Vous avez été une bonne élève, avait répondu Mme Clinton. Mais souvenez-vous de ce que je vous ai dit. Il ne vous sera pas facile de vous adapter à la société dans laquelle vous entrez. Rappelez-vous que les hommes désirent avant tout qu'une femme les amuse!

Tandis que le sol fuyait sous les sabots des chevaux et que le soleil l'éblouissait, Candida se reprocha d'avoir contrarié lord Manville.

« Il faut que je l'amuse, songea-t-elle. Mais comment amuser un homme dont je ne sais rien, sinon qu'il sait juger les chevaux? Il faut que je lui parle de chevaux, décida-t-elle, c'est au moins un sujet d'intérêt que nous avons en commun. » Mais elle ne devait pas chercher à lui imposer ses opinions.

Au bout de quelques kilomètres, lord Manville parla de nouveau.

— Vous avez un prénom inhabituel.

— Voltaire était l'un des auteurs favoris de mon père.

— Et qu'en pensez-vous? demanda lord Manville parlant du prénom.

— Je le trouve stimulant, répondit-elle, parlant de l'auteur. On a peine à comprendre qu'il ait fait scandale en France. Aujourd'hui, nous avons l'habitude que les gens soient francs.

— Je ne savais pas qu'il existait une traduction de *Candide*.

— A ma connaissance, il n'y en a pas.

Lord Manville haussa de nouveau les sourcils. Elle avait donc lu le livre en français? Il avait entendu dire que certaines belles amazones étaient cultivées. Peut-être était-il mal tombé jusque-là. Celles qu'il avait honorées de son attention avaient beaucoup de qualités, mais la culture n'en faisait pas partie.

Celles qu'il avait protégées ressemblaient davantage à Skittles. Elles étaient exquisement jolies, elles savaient admirablement monter à cheval, mais leur langage était rabelaisien. Les jurons et les obscénités de Skittles l'avaient rendue célèbre et beaucoup de ses rivales l'imitaient. Lais était une exception.

Elle jurait rarement, mais elle avait un esprit caustique qui était très divertissant. Elle ne se cachait pas d'accorder ses faveurs au plus offrant, quel qu'il fût.

Lais était un soulagement et une détente après les émotions tumultueuses que lui avait values sa liaison avec lady Brompton. « Plus jamais cela! » songea-t-il. Il ne voulait plus de complications, de rendez-vous secrets, au bout d'un couloir obscur, au milieu de la nuit.

Il était libre de se divertir comme il l'entendait et tout ce qu'il demandait, c'était une belle amazone qui sache lui plaire par ses exploits équestres et fasse preuve, au lit, de la même habileté.

Candida avait une qualité : elle n'était pas bavarde. Il détestait les femmes bavardes, car elles n'avaient rien d'intéressant à dire et caquetaient d'autant plus bruyamment.

Ils demeurèrent un long moment silencieux. Puis lord Manville annonça :

— Nous déjeunerons à Beaconsfield. Nous devrions y être vers midi. Il nous restera une heure de trajet pour arriver à Manville Park.

— Changerez-vous de chevaux?

— Non. Mon valet s'en occupera et, une fois reposés, ils seront en état de nous emmener jusqu'à Manville Park, bien que j'aie mes propres chevaux dans la plupart des relais.

— Mais cela doit coûter fort cher? remarqua Candida.

— Mon confort m'importe plus que l'argent, répliqua lord Manville d'un ton indifférent. Je ne tiens pas à voyager avec le genre de chevaux que l'on trouve dans les auberges.

— Je le comprends. Mais que deviennent vos chevaux si vous ne vous en servez pas pendant un mois ou deux?

— Des palefreniers s'en occupent. Ils sont bien soignés, rassurez-vous.

Il y avait du rire dans sa voix. Candida reprit vivement :

— Je suis désolée si ma question vous a paru impertinente. Ce n'était pas mon intention.

— Ne vous excusez pas. Il est divertissant de voir une personne comme vous s'intéresser au sort des animaux. La plupart d'entre elles traitent leurs chevaux très cruellement.

— Et sans aucune nécessité! s'exclama Candida en pensant à Lais.

Elle se demanda si elle devait dire combien elle condamnait l'usage de l'éperon puis décida que cela risquait de déclencher une controverse. Elle se tut.

L'horloge du clocher de Beaconsfield sonnait les douze coups de midi lorsqu'ils pénétrèrent dans le village. Les marronniers étaient en fleur et mettaient en valeur les maisons blanches et noires et les vitrines des magasins. Lord Manville s'arrêta devant l'auberge. Des domestiques se précipitèrent pour tenir les chevaux. Le valet de lord Manville aida Candida à descendre du cabriolet.

La patronne conduisit Candida, à laquelle elle fit monter un antique escalier de chêne, jusqu'à une chambre à coucher où il y avait de l'eau chaude pour qu'elle pût s'y laver les mains et s'y recoiffer. Le vent avait emmêlé ses cheveux. Elle ôta son chapeau et la patronne s'exclama :

— Quels beaux cheveux vous avez!

— Je vous remercie, répondit Candida en souriant tandis qu'elle rajustait sa coiffure. Pensez-vous que je puisse aller déjeuner sans remettre mon chapeau?

— Mais bien entendu. Personne ne vous verra, sinon Sa Seigneurie. Le déjeuner est préparé dans un salon privé, comme chaque fois que Sa Seigneurie s'arrête ici.

— Vient-il souvent?

— Nous sommes sur la route de sa propriété. Nous sommes très honorés qu'il descende chez nous. C'est un véritable gentleman, très différent de certains qui exigent plus de services qu'une simple auberge ne peut en offrir.

— Tenir une auberge doit être difficile, remarqua Candida.

— Terriblement difficile. On ne sait jamais qui va faire irruption chez nous en demandant ceci ou cela, en se plaignant d'être mal accueilli, ou en nous cherchant noise. Mais, bien que le métier soit dur, nous sommes satisfaits de notre sort, mon mari et moi. Nous avons hérité cette auberge de son père, et j'ose dire que nous l'avons améliorée.

— J'en suis bien sûre. Je suis prête, voudriez-vous me montrer le chemin?

— Vous êtes exceptionnellement jolie. Sa Seigneurie est venue ici en compagnie de beaucoup de femmes, mais aucune ne vous arrivait à la cheville.

— Je vous remercie, répéta Candida, vaguement gênée.

Puis elle suivit la patronne de l'auberge, qui portait une coiffe blanche et un tablier immaculé, au rez-de-chaussée. Elles longèrent un couloir et la femme ouvrit une porte.

— Le déjeuner sera servi dans un instant, my lord, annonça-t-elle.

Candida pénétra dans la pièce. C'était un petit salon avec des poutres basses en chêne. Une table était dressée près de la fenêtre et deux fauteuils à haut dossier faisaient face à la cheminée. Il flottait dans l'air une odeur particulière aux vieilles maisons, à laquelle s'ajoutait la senteur du tabac, du vin, de la lavande et du chèvrefeuille, qui montait du jardin par la fenêtre ouverte.

— Quel endroit délicieux! s'exclama-t-elle.

Lord Manville, qui se tenait appuyé contre la cheminée, se dirigea vers la table.

— Voudriez-vous vous asseoir? L'aubergiste m'a assuré qu'un excellent déjeuner nous attendait. J'espère que vous avez faim.

— En effet. J'étais si nerveuse que je n'ai rien pris au petit déjeuner.

— Et pourquoi étiez-vous nerveuse?

— A l'idée de faire votre connaissance.

— Suis-je si intimidant?

— Vous impressionnez tout le monde. Il était naturel que je le sois.

Il rit de voir son air grave. Cette affectation de timidité lui convenait. Elle imitait à merveille la jeune fille effarouchée de faire ses premiers pas dans le monde.

Il se demanda si cette comédie habile était de son invention ou si elle était due aux leçons de Mme Clinton. Mme Clinton avait plus d'un tour dans son sac et les femmes qu'elle lançait étaient recherchées. Elles avaient de bonnes manières et, le moment de la rupture venue, il n'y avait jamais de chantage ni de scènes désagréables.

Mais il était probablement rare qu'elle eût à proposer beaucoup de comédiennes aussi consommées que Candida. Mme Clinton avait manifestement un sens plus développé du théâtre qu'il ne le croyait.

L'aubergiste arriva avec des pigeons rôtis à la broche, un gigot, du pâté de veau et de jambon, une collation froide. Candida songea qu'il y avait de quoi nourrir un régiment et que c'était excessif pour deux voyageurs. Elle prit un peu de pâté. Lord Manville semblait résolu à goûter de tous les plats.

— Votre femme fait bien la cuisine, dit-il à l'aubergiste. Faites-lui mes compliments. Elle ne m'a jamais déçu.

— C'est ma mère qui fait la cuisine, my lord. Elle a été placée avant d'épouser mon père, et elle sait flatter le palais d'un gentleman comme vous.

— En effet, confirma lord Manville en souriant. Quel vin me proposez-vous?

— Votre bordeaux préféré, my lord.

— Cela vous convient-il? demanda lord Manville à Candida. Ou préférez-vous du vin blanc? Si vous voulez du champagne, je suis certain qu'il y en a à la cave.

— Je prendrai de l'eau, répondit Candida.

Lord Manville eut l'air amusé.

— Tant de vertu n'est pas nécessaire. Un peu de vin vous fera du bien.

— J'en bois parfois un verre le soir, répliqua Candida, se souvenant des occasions où ses parents avaient célébré la vente d'un livre de son père. Mais cela ne me convient pas au déjeuner.

— Comme vous voudrez, conclut lord Manville avec indifférence.

Il pensait qu'elle poussait la comédie un peu loin, mais il était résolu à la laisser agir à sa guise. Elle ne tarderait pas à s'en lasser.

L'aubergiste se retira. Lord Manville fit quelques remarques anodines, que Candida s'efforça d'approuver. Le repas fini, il s'adossa à son fauteuil et dit :

— Il y a quelque chose que je voudrais vous expliquer, mademoiselle Walcott. J'espère que vous ne vous méprendrez pas sur ce que je vais vous proposer et que vous n'en serez pas contrariée.

Il fut surpris par l'expression d'anxiété du regard que Candida fixa sur lui. Il ne se rendait pas compte que, l'espace d'un instant, elle avait eu la conviction de l'avoir déçu et qu'il s'apprêtait à lui annoncer son renvoi.

— Voici ce dont il s'agit, poursuivit lord Manville, cherchant ses mots. Je ne vous ai pas demandé de venir à Manville Park pour...

Il faillit dire « mon amusement » mais rectifia :

— ... pour ma compagnie. C'est pour quelqu'un d'autre, et j'espère que vous m'aiderez à résoudre le problème qu'il me pose.

Lord Manville n'était pas un homme vaniteux, mais il avait l'habitude de lire de l'admiration dans les yeux des femmes. Il était certain que, s'il emmenait une belle amazone de Londres à Manville Park, elle en déduirait qu'il s'intéressait personnellement à elle.

Il fut donc surpris de remarquer l'expression de soulagement de Candida lorsqu'il eut terminé sa phrase. Pendant un moment, il ne parvint pas à y croire, mais il était indubitable que tout en l'écoutant avec attention, elle avait cessé d'être anxieuse.

Ses joues avaient retrouvé leur couleur. Il ne parvenait pas à s'expliquer cette réaction. Néanmoins, il continua :

— J'ai besoin de votre aide, mademoiselle Walcott. Ou puis-je vous appeler Candida?

— Mais bien entendu.

— Le jeune homme auquel je fais allusion est mon pupille et il m'a causé beaucoup de soucis ces derniers temps.

— Est-ce un enfant? demanda Candida, pensant que c'était peut-être la raison pour laquelle lord Manville la faisait venir à Manville Park.

Elle n'avait pas d'expérience, mais elle pensait être capable de servir de gouvernante à un enfant.

— Non, quelle idée! Adrian a vingt ans et c'est un être très agréable quand il a sa raison.

Il vit les yeux de Candida s'agrandir.

— Je ne veux pas dire qu'il a le cerveau dé-

rangé. Mais il s'imagine qu'il est tombé amoureux.
Candida sourit :

— N'est-ce pas romantique?

— Non, pas du tout. Non seulement il se croit amoureux, mais il veut épouser la jeune fille. Comment un gamin de vingt ans peut-il savoir s'il a choisi la femme qui lui convient et s'il l'aime vraiment?

— Si je comprends bien, vous n'approuvez pas son choix?

— Je n'ai pas vu la jeune fille en question, répliqua lord Manville avec dédain. Il semble qu'elle soit tout à fait respectable. Son père est pasteur à Oxford, où mon pupille poursuit ses études. La semaine dernière, on m'a prévenu qu'il en avait été exclu jusqu'à la fin du trimestre.

— Je suppose qu'il a été surpris alors qu'il faisait le mur. C'est la raison habituelle des exclusions, je crois?

— Vous êtes apparemment bien informée, rétorqua lord Manville avec irritation. Quand j'étais à Oxford, je faisais le mur chaque nuit, mais je n'ai jamais eu la sottise de me faire prendre.

— Peut-être avez-vous eu de la chance.

— Pour en revenir à Adrian, j'ai décidé qu'il n'épouserait pas cette jeune fille. Vous m'aideriez si vous vouliez bien le convaincre qu'il y a d'autres plaisirs dans la vie que les charmes respectables d'une fille de pasteur.

— Mais qu'attendez-vous de moi exactement?

— Votre bon sens vous le suggérera mieux que moi. Faites comprendre à Adrian qu'il ne connaît rien de la vie, que toutes sortes d'amusements l'attendent avant qu'il ne soit en âge de se ranger et de prendre la vie au sérieux. Parlez-lui de Londres, donnez-lui envie de voir les casinos, Argyll Rooms, Mott's, Kate Hamilton's, bref, les lieux de plaisir. Demandez-lui de vous inviter à dîner à Cremorne Gardens pour danser la polka au clair de lune.

Candida étouffa une exclamation. Lord Manville s'interrompit : ·

— Vous disiez? demanda-t-il.

— Rien, balbutia Candida.

Il réfléchit, puis reprit, sur un ton d'excuse :

— Adrian n'a aucune expérience de ce genre d'existence. Faites-lui comprendre qu'elle fait partie de l'éducation de l'adulte avant qu'il assume la responsabilité de prendre une femme et d'avoir des enfants.

Candida était consternée. Comment avouer à lord Manville qu'elle n'avait jamais entendu parler des endroits qu'il mentionnait? Comment lui expliquer qu'elle ne connaissait de Londres que le manège du capitaine Hooper et ce qu'elle en avait vu lors de son unique promenade à Hyde Park?

Elle se rendait compte qu'il y avait eu une extraordinaire méprise et que lord Manville était convaincu qu'elle connaissait ces lieux et les fréquentait habituellement. Puis elle se souvint des conseils de Mme Clinton. Il ne faisait pas de doute que, si elle avouait son ignorance, lord Manville en serait exaspéré. Il se passerait de ses services et la renverrait à Londres. Il lui fallait feindre de lui obéir, en espérant que, par quelque miracle, il ne s'apercevrait pas de son incompétence.

— Etes-vous disposée à me rendre ce service?

— Je ferai de mon mieux.

— Je l'espérais, conclut lord Manville avec satisfaction. Adrian est un jeune homme étrange. Je ne le comprends pas, mais je suis sûr qu'avec votre aide je parviendrai à le détourner de ce mariage, qui ne peut être que désastreux.

— Mais s'il aime vraiment cette jeune fille?

— Qu'est-ce qu'un jeune homme de vingt ans sait de l'amour? D'ailleurs, l'amour risque d'être une duperie à n'importe quel âge.

Candida avait envie d'objecter que l'amour ne se discutait pas, qu'on ne pouvait l'empêcher. Mais elle se domina et ne dit rien. Lord Manville semblait satisfait et pressé de poursuivre leur voyage.

Il déposa de l'argent sur la table. Candida remit rapidement son chapeau devant un ancien miroir encadré de bois de marronnier qui pendait au mur.

Ils se remirent en route. Lord Manville semblait de bonne humeur. Elle ne se rendait pas compte qu'il avait été inquiet à l'idée de sa réaction en apprenant qu'il la destinait à Adrian.

« Elle a bon caractère, songeait-il. Je veillerai à ce qu'elle n'y perde pas matériellement. Adrian n'a pas les moyens de l'entretenir, mais je pourvoirai au nécessaire. Espérons qu'il ne sera plus question de ce mariage. Candida est assez jolie pour faire oublier toute autre femme à un jeune homme. »

Lord Manville décida que cela valait la peine de quitter Londres en pleine saison pour régler les affaires d'Adrian. Lorsque Lais l'avait imploré la veille de ne pas partir, il s'était irrité contre son pupille.

Mai était de tous les mois le plus agréable à Londres. Il y avait des réceptions et des bals tous les soirs. Il y avait le théâtre et le ballet. Sans parler du spectacle amusant des belles amazones.

Lais lui avait dit que Skittles allait dresser un nouveau cheval. Tous ses amis seraient là, et lui était obligé de se rendre à la campagne parce qu'Adrian faisait l'imbécile. Etre exclu d'Oxford un mois avant la fin du trimestre, il y avait de quoi provoquer la colère de n'importe quel tuteur!

Mais finalement, tout s'arrangeait à merveille. Adrian apprendrait à vivre en compagnie de Candida et, lorsqu'il sortirait d'Oxford, il embrasserait la vie qui convenait à un jeune homme de la bonne société.

« On ne peut pas me reprocher de ne pas remplir mon devoir de tuteur, songea Lord Manville avec satisfaction. Dieu sait que je ne voulais pas de cette responsabilité, mais je serai à la hauteur de ma tâche. (Il considéra Candida avec approbation.) C'était l'idée de grand-mère. Elle s'amusera d'apprendre comment je l'ai réalisée. »

Il regrettait presque d'avoir dit à Lais qu'il souhaitait passer trois jours seul à Manville Park avant qu'elle vienne le rejoindre. Il l'avait invitée pour le dimanche. Si Candida jouait bien son rôle, il pourrait retourner à Londres plus tôt.

Il se demanda s'il devait lui assurer qu'il la récompenserait financièrement de s'occuper d'Adrian et non de lui-même. Il hésita, puis décida de s'en abstenir. Elle ne semblait pas cupide, et il était encore piqué par l'expression de soulagement de son visage lorsqu'il lui avait expliqué que c'était à Adrian qu'elle devait accorder ses faveurs.

« Se pourrait-il que je lui sois antipathique? » songea-t-il avec consternation.

Ils se connaissaient depuis si peu de temps que cela semblait impossible. Mais avec les femmes, on ne savait jamais. Leurs réactions étaient imprévisibles. C'était une bonne raison pour garder ses distances. On était mercredi. Lais arriverait dimanche. Il serait heureux de la revoir.

Même s'il s'ennuyait à être enfermé à Manville Park dans la seule compagnie de Candida et d'Adrian, cela lui permettrait d'expédier ses propres affaires. Il les avait quelque peu négligées pendant sa liaison avec lady Brompton.

Son gérant souhaitait le voir, de même que deux de ses tenanciers. Le temps passerait vite et le printemps était particulièrement agréable.

Ce fut également l'opinion de Candida lorsque les chevaux, après avoir longé un mur, franchirent une grille flanquée de lions de pierre et s'engagèrent dans une longue avenue bordée de chênes qui descendait la pente d'une colline. Subitement, elle aperçut Manville Park.

Elle ne s'était pas attendue à un tel spectacle.

L'édifice était plus grand et plus impressionnant que tout ce qu'elle avait imaginé. Il avait une façade à colonnades, des ailes massives. Le toit était couronné d'urnes et de statues qui se découpaient sur le ciel bleu.

Le château était aussi impressionnant que son propriétaire, mais très beau.

Elle avait étouffé une exclamation involontaire.

— Vous aimez ma maison? demanda lord Manville.

— Elle est immense, mais très belle.

Le château était construit en pierres grises qui semblaient lumineuses. Il était situé dans un creux, face à un lac, et le parc s'étendait tout autour à perte de vue.

— Est-ce que tout cela vous appartient? demanda Candida.

— Aussi loin que porte le regard. A ma droite, j'ai pour voisin le comte de Storr, à ma gauche, mais par bonheur on ne peut pas voir la limite de la propriété, sir Tresham Foxleigh.

Il ne remarqua pas le sursaut de Candida et l'expression de répulsion de son visage. Un instant après, lorsqu'elle découvrit le jardin, elle oublia ce qu'il venait de dire.

Elle apprit par la suite que le jardin était centenaire et que la maison avait été construite pour le grand-père de lord Manville en 1760. Les lilas, violets, mauves et blancs, les amandiers à fleurs roses, les pelouses veloutées étaient le résultat des soins de plusieurs générations.

Le parc était illuminé par le jaune des jonquilles poussant autour du lac, les arbustes de seringa blanc odorant et les cytises dont les branches ployaient sous le poids des grappes de fleurs dorées.

— Comment pouvez-vous vous résoudre à quitter un lieu aussi enchanteur? demanda Candida.

— Vous m'incitez à croire que je devrais y venir plus souvent.

Candida se rendit compte que lui aussi était ému par la beauté de Manville Park.

Les chevaux s'arrêtèrent devant le perron. Des valets en livrée se précipitèrent pour aider Candida à descendre du cabriolet et saluer leur maître.

— Je suis content de vous voir, Bateson, dit lord Manville à un imposant majordome. Tout va bien?

— Oui, my lord. M. Adrian est dans la bibliothèque. Dois-je l'appeler? Il ne vous a sûrement pas entendu arriver.

— Non, je vais aller le rejoindre. Venez, Candida.

Il traversa un grand hall dallé de marbre et orné de statues de dieux grecs. Les murs étaient tapissés de vert pâle. Ils s'engagèrent dans un large couloir, décoré de portraits.

Candida voyait dans les miroirs qui surmontaient les consoles dorées son reflet et celui de lord Manville. Elle remarqua à quel point il était grand et elle minuscule par comparaison.

Il avançait d'un pas rapide, sans mot dire. Tout au bout du couloir, il y avait une porte en acajou à double battant. Sans attendre le valet, il la poussa lui-même d'un geste autoritaire. Ils pénétrèrent dans la pièce la plus imposante que Candida eût jamais vue.

Les murs étaient masqués par des livres richement reliés du sol jusqu'au plafond peint à la fresque. Le centre de la pièce était occupé par un grand bureau, derrière lequel un jeune homme blond écrivait.

— Bonjour, Adrian, dit lord Manville. Je voudrais vous présenter...

Il ne put terminer sa phrase. Son pupille s'était levé d'un bond et le regardait avec colère.

— Je m'y refuse. Je sais ce que vous avez en tête et je ne veux pas la voir. Emmenez-la.

Il jeta sa plume sur le bureau et se dirigea vers

la fenêtre, leur tournant le dos, yeux fixés sur le jardin. Candida le regardait avec étonnement. Lord Manville fit un pas en avant.

— Adrian, ordonna-t-il d'une voix cinglante, je vous prie de vous retourner immédiatement et de me permettre de vous présenter Mlle Candida Walcott. Je suis chez moi et, tant que vous serez mon invité, vous vous comporterez courtoisement envers une dame qui m'a fait l'honneur de sa compagnie.

Sa voix résonna longuement dans l'immense pièce. Adrian, avec une répugnance manifeste, consentit enfin à se retourner.

7

Adrian dévisagea Candida avec stupeur. Puis l'expression de son visage changea. Il sourit et se dirigea vers elle.

— Je vous présente mes excuses. C'est une méprise. J'ai cru que vous...

— Adrian! s'exclama lord Manville d'une voix de tonnerre.

Plus calmement il ajouta :

— Candida, puis-je vous présenter mon pupille, M. Adrian Rushton dont vous voudrez bien pardonner l'excentricité? Adrian, Mlle Candida Walcott.

Adrian s'inclina, Candida fit une révérence. Puis il y eut un moment de silence embarrassant. Ce fut lord Manville qui le rompit. Il se dirigea vers la cheminée en disant :

— Daignerez-vous m'expliquer, mon cher Adrian, pourquoi vous avez été exclu d'Oxford?

— On m'a surpris à 2 heures du matin alors que je faisais le mur.

— Vous n'auriez pas dû vous laisser prendre. J'espère que la fête ou la dame en valait la peine.

— Il n'y a eu ni fête ni dame, rétorqua Adrian d'un ton morose. J'étais seul.

— Seul? Que diable faisiez-vous seul dehors à 2 heures du matin?

Adrian ne répondit pas. Lord Manville poursuivit :

— Eh bien, où étiez-vous?

— Au cimetière, si vous tenez à le savoir.

Lord Manville le dévisagea, incrédule.

— Vous m'étonnerez toujours, dit-il enfin. Mais nous en parlerons une autre fois. Je vous serai obligé de tenir compagnie à Mlle Walcott pendant que je m'entretiens avec mon gérant. Je sais qu'une demi-douzaine de personnes souhaitent me voir après une aussi longue absence. Mais je suppose que des gens de votre âge ont beaucoup de sujets de conversation en commun.

Lord Manville sortit. Candida était demeurée au milieu de la pièce, intimidée. Sa robe rose et son chapeau la faisaient paraître plus jeune qu'elle n'était. Mais Adrian ne la regardait pas. Il suivait des yeux son tuteur. Lorsqu'il eut disparut, il remarqua d'une voix exaspérée :

— C'est bien de lui. Si j'avais dit que j'étais en compagnie d'ivrognes, que je m'étais colleté avec la garde ou que j'avais cassé les carreaux du collège, il en eût été ravi. Et si je lui avais avoué ce qu'il souhaitait entendre, que j'étais en compagnie d'une...

Il parut se rendre compte de la personne devant laquelle il parlait. Il s'interrompit et retourna vers le bureau, recouvrant la feuille de papier sur laquelle il venait d'écrire, comme s'il avait peur que Candida la lût.

— Je ne voudrais pas être indiscrète, dit Candida doucement, mais je suis curieuse de savoir ce que vous faisiez dans ce cimetière?

— Vraiment? répliqua Adrian d'un ton agressif. Eh bien, si vous y tenez, j'écrivais un poème.

Sans attendre la riposte de Candida, il poursuivit avec emportement.

— Riez donc! Nul doute que vous jugiez cela ridicule alors que j'aurais pu faire la cour à une femme de mœurs légères ou m'enivrer. Mais c'est la vérité.

En terminant son discours, il regarda Candida avec défi comme s'il s'attendait à une remarque cynique ou une moquerie.

— Mais bien sûr que je vous comprends, répondit Candida avec douceur. Lorsqu'on écrit un poème, on oublie tout le reste, le temps, le décor, la faim et même le besoin de sommeil.

— Comment le savez-vous?

— Mon père était poète.

— Votre père?

— Oui. Il s'appelait Alexandre Walcott.

— Vous voulez dire que c'est celui qui a traduit *l'Iliade*?

— Oui, c'était mon père.

— Il a fait ses études à *Christ Church*, mon propre collège. Le trimestre dernier, un maître assistant m'a conseillé de lire la traduction de Walcott en affirmant qu'elle me serait utile.

— Je suis heureuse de savoir que mon père n'est pas oublié.

— Oublié? Mais nous en sommes fiers!

Candida joignit les mains.

— Oh, comme j'aurais aimé qu'il vous l'eût entendu dire.

Adrian fit un mouvement vers elle.

— Vous voulez dire que votre père est mort?

— Oui, le mois dernier, dit Candida d'une voix étranglée.

— J'en suis désolé. Jusqu'à présent, je n'avais pas pensé à lui comme à un homme vivant. Je veux dire que j'ignorais son âge. Je n'avais conscience que du plaisir que j'ai pris à lire *l'Iliade*.

— Il l'a merveilleusement traduite, n'est-ce pas? Avez-vous ses autres livres?

— Non, mais il faudra que vous m'en parliez.

— Et il faudra que vous me parliez de vos poèmes, suggéra Candida timidement.

— Mais bien sûr, répondit Adrian, les yeux brillants. Mais il faut me promettre que vous n'y ferez pas allusion devant mon tuteur.

— Et pourquoi pas?

— Il ne comprendrait pas. Il voudrait que je me comporte comme un jeune dandy et que je m'intéresse à des occupations que lui considère convenables pour quelqu'un qui occupe ma position sociale et est son pupille.

— Il ne s'opposerait sûrement pas à ce que vous écriviez de la poésie?

— Il en serait furieux, et il me mépriserait encore plus qu'il ne le fait déjà.

Candida avait envie de protester, puis elle se souvint de ce que lord Manville lui avait dit pendant le déjeuner. La poésie ne s'accordait pas avec les goûts qu'il lui avait recommandé de développer chez son pupille, les casinos de Londres, les autres lieux de plaisir dont elle n'avait jamais entendu parler et les Cremorne Gardens qu'elle ne connaissait qu'à travers la description qu'en avait donnée un journal.

Adrian avait raison. Lord Manville n'approuverait pas son amour de la poésie.

— Vous ne lui en parlerez pas? insista Adrian.

— Bien sûr que non.

— Et je pourrai vous lire ce que j'écris?

— Peut-être pourrai-je vous aider, proposa Candida. J'avais l'habitude d'aider mon père.

— De quelle façon?

— Je sais un peu de grec.

— Vous êtes capable de lire le grec?

— Pas aussi bien que mon père. Mais il affirmait que deux têtes valent mieux qu'une quand il avait de la difficulté à trouver un mot ou à interpréter une phrase. Et j'ai lu beaucoup de poésies.

— C'est la plus merveilleuse chose qui me soit arrivée. Jamais je n'aurais cru rencontrer quelqu'un qui s'intéresserait à ce que je fais en offrant de m'aider.

— Je suppose qu'il y a dans cette immense bibliothèque beaucoup de livres qui vous seront utiles.

— Probablement, répliqua Adrian avec indifférence. Mais je voudrais surtout exprimer mes propres idées. Je sais que traduire les classiques est un bon exercice mais il y a tant de choses que j'ai envie de dire, qui ne peuvent s'exprimer qu'en vers.

— Vous avez raison. Mon père avait l'habitude de dire qu'un poète doit amener au jour ce qui sommeille en lui.

— Votre père a-t-il vraiment dit cela? Je croyais être le seul à avoir compris toute l'importance de la poésie.

— Je crois que beaucoup de gens ont découvert que la poésie les aidait plus que toute autre chose.

— J'ai beaucoup de poèmes dans ma chambre. Je ne les descendrai pas ici, de peur que mon tuteur revienne. Mais si nous pouvons trouver un endroit tranquille, je vous les lirai.

— Cela me fera plaisir. J'aurai l'impression de me retrouver chez moi avec mon père.

— C'est curieux que vous, en tant que jeune fille, vous vous intéressiez à la poésie. Lucy n'y tient pas du tout, bien qu'elle s'efforce de la comprendre par égard pour moi.

— Lucy?

— C'est la jeune fille que je veux épouser, expliqua Adrian, de nouveau irrité. Je suppose que mon tuteur vous en a parlé.

— Et vous allez l'épouser? demanda Candida, sans relever l'allusion à lord Manville.

— Il ne veut pas. Il prétend que je suis trop jeune, mais la véritable raison est qu'elle est d'origine trop modeste. D'ailleurs, le bourreau des cœurs est contre le mariage par principe.

— Comment l'avez-vous appelé?

Adrian rougit.

— Je n'aurais pas dû dire cela. Cela m'a échappé. C'est son surnom. Tout le monde l'appelle « le bourreau des cœurs ».

— Parce qu'il a brisé tant de cœurs?

— A la douzaine, affirma Adrian avec emportement. Vous savez combien il est séduisant. Il est également riche et important. Les femmes tournent autour de lui comme des papillons autour d'une flamme. Lorsqu'il refuse de les épouser et qu'il est las de les voir se suspendre à son cou, elles s'en vont en pleurant amèrement, le cœur brisé.

— Comme c'est pathétique. Je ne le voyais pas ainsi. Il m'a semblé intimidant et plutôt effrayant.

— Moi aussi, j'ai peur de lui, avoua Adrian. C'est pourquoi je ne voudrais pas l'irriter davantage. Promettez-moi que vous ne ferez pas allusion à mes poèmes.

— Bien sûr. Je vous l'ai promis et je tiendrai parole. Mais pourquoi ne pas faire ce que lord Manville désire?

— Parce que je veux épouser Lucy. Je ne veux pas aller à Londres pour y vivre entouré de jeunes dandys stupides qui ne songent qu'à chasser, monter à cheval et se défier à la course les yeux bandés, ou d'autres sottises du même genre.

— Vous n'aimez pas monter à cheval?

— Mais si. Mais pas au milieu de la nuit, à la suite d'un pari insensé, ni au risque d'estropier un cheval en l'obligeant à sauter un obstacle trop haut pour lui.

— Je vous approuve, déclara Candida chaleureusement. Les hommes qui abusent de leurs chevaux pour se divertir sont aussi cruels et méprisables que les femmes qui se servent de leurs éperons sans merci.

— Je vois que nous sommes d'accord sur beaucoup de choses. Vous m'aiderez, n'est-ce pas?

— Pour vos poèmes? Mais certainement.

— Pas seulement pour mes poèmes, mais pour que mon tuteur me comprenne un peu mieux. Le problème est qu'il est chargé d'administrer ma fortune jusqu'à ce que j'aie vingt-cinq ans. Si je

126

ne fais pas exactement ce qu'il veut, il peut me couper les vivres et me laisser sans un sou.

— Je ne crois pas qu'il ferait cela.

— Il le ferait. Il m'en a menacé si j'épouse Lucy.

— Mais ce n'est pas juste! s'exclama Candida.

Puis elle se souvint que sa tâche était de détourner Adrian d'un mariage que lord Manville désapprouvait.

— Bien sûr que ce n'est pas juste, répéta Adrian avec emportement. Mais il a la force pour lui et il n'y a rien que je puisse faire. Je ne peux pas épouser Lucy tant que nous n'avons pas le moindre revenu dont nous puissions vivre. Et elle est tellement jolie! Si je ne la demande pas en mariage, il y a des douzaines d'étudiants à l'université qui seraient heureux de le faire.

— Ça me paraît improbable.

— Comment cela?

— Si Mlle Lucy vous aime, elle n'ira pas s'éprendre d'un autre sous prétexte que, vous, vous êtes obligé d'attendre pour vous déclarer.

— Vous croyez?

— Evidemment. Lorsqu'on aime vraiment quelqu'un, peu importent les obstacles et les délais.

Adrian demeura un moment silencieux, puis remarqua :

— Lucy semblait plutôt mécontente lorsque je suis revenu de Londres après avoir parlé avec mon tuteur. Elle s'attendait à ce que je demande sa main. Lorsque je ne l'ai pas fait...

Il s'interrompit.

— Je suppose qu'elle était seulement vexée ou déçue. Vous lui aviez probablement laissé entendre que tout s'arrangerait une fois que vous auriez parlé avec lord Manville.

— C'est vrai, admit Adrian.

— Peut-être reviendra-t-il sur sa décision, s'il se rend compte que vous persévérez dans la vôtre.

Adrian eut un rire sceptique.

— Cela ne lui ressemblerait pas. Il est impitoyable. Une fois qu'il a décidé quelque chose, personne ne le fait changer d'avis.

Il se mordit la lèvre et regarda Candida.

— Après tout, vous y arriverez peut-être. Vous êtes extrêmement séduisante et le bourreau des cœurs aime les jolies femmes.

— Ne l'appelez pas ainsi.

— Pourquoi pas?

— Je ne sais pas. Cela semble mesquin et désobligeant. Je pense qu'en tant que poète vous devriez vous interdire de penser ou de dire du mal d'autrui. Cela affectera ce que vous écrirez.

— Vous avez raison. Vous comprenez bien la poésie. Je ne veux pas que la mienne soit ternie par le ressentiment que m'inspire mon tuteur ou la jalousie que j'éprouve en pensant à Lucy.

— Papa disait que le poète devait être égal au prêtre, entièrement dévoué à sa profession, sans se laisser influencer par le monde dans lequel il vit. Mais, bien entendu, il n'a pas été jusqu'au bout de cet idéal. Il aimait ma mère et s'est enfui avec elle.

— Vraiment? Comme c'est passionnant! C'est ce que j'envisageais de faire.

Il jeta de nouveau un coup d'œil inquiet en direction de la porte.

— A votre place, je ne parlerais pas de vos parents à lord Manville. Il pense qu'un homme ne peut sans se déshonorer proposer à une dame de s'enfuir avec lui.

— Il n'a aucune raison de penser cela, protesta Candida, irritée que quelqu'un pût affirmer un principe qui mettait en cause l'honneur de son père.

Puis elle songea que lord Manville avait fait cette déclaration dans l'intention de dissuader Adrian de s'enfuir avec la fille du pasteur.

Se souvenant de la tâche qu'il lui avait confiée, elle ajouta précipitamment :

— Je ne pense pas qu'il soit sage de s'enfuir à moins de circonstances exceptionnelles.

— Qu'entendez-vous par là?

— Il faut que les deux personnes s'aiment tellement qu'elles sont prêtes à tout sacrifier, leur confort, leur position sociale, leur vie passée.

— C'est ce que votre père et votre mère ont fait?

— Oui. Nous étions très pauvres.

— Vivre sans argent, ce doit être terrible.

— Papa en gagnait un peu, mais c'était irrégulier. Quelquefois, nous avions l'impression d'être riches. Mais à d'autres moments, quand ses livres ne se vendaient pas ou que nous dépensions l'argent plus vite qu'il ne pouvait le gagner, notre situation était très difficile.

— Pourtant, il a réussi à gagner un peu d'argent.

— Bien sûr. J'ai toujours espéré qu'un jour ou l'autre il deviendrait célèbre.

— Ce serait merveilleux si je réussissais à devenir célèbre! s'exclama Adrian. Cela résoudrait tout. Je ne dépendrais plus de mon tuteur, j'aurais de l'argent à moi, dont je pourrais disposer à mon gré.

— Et pourquoi ne pas essayer?

Adrian eut un rire de triomphe.

— Pourquoi pas? J'aimerais vous lire ce que je viens d'écrire.

Il alla prendre les papiers sur le bureau et les apporta à Candida.

— Je suis resté en panne au dernier vers. Je pense que vous pourrez m'aider.

Une heure plus tard, lorsque lord Manville pénétra dans la bibliothèque, Candida et Adrian étaient assis sur le sofa, si près l'un de l'autre que leurs têtes se touchaient. Il songea à part lui que la belle amazone allait vite en besogne.

Lorsque Candida et Adrian l'entendirent ouvrir la porte ils sursautèrent et s'écartèrent l'un de l'autre avec un air de culpabilité. Lord Manville se demanda pourquoi, au lieu d'en être satisfait, il éprouvait de l'irritation.

« Ils sont en train de mijoter quelque chose tous les deux », se dit-il.

— Avez-vous réglé toutes vos affaires avec votre gérant? demanda Adrian, d'une voix qui parut guindée à son tuteur.

— En effet. Je venais voir si vous aviez envie de quelque distraction.

— Nous ne... commença Adrian.

Mais Candida l'interrompit :

— Lord Manville, pourrais-je voir Pégase? Je sais qu'il est arrivé hier.

— Bien sûr. Je projetais de me rendre à l'écurie moi-même. Venez-vous, Adrian?

— Oui, bien sûr.

Lord Manville eut l'impression que Candida et lui avaient échangé un regard de connivence.

« Elle lui a conseillé de se montrer conciliant, songea-t-il. Ma foi, c'est un premier pas sur la bonne voie. »

Candida prit son chapeau qu'elle avait posé sur l'un des fauteuils et lord Manville remarqua son expression d'incertitude.

— Les cérémonies ne sont pas nécessaires ici, dit-il. Personne ne vous verra si vous préférez ne pas vous encombrer de ce chef-d'œuvre de Bond Street.

— Vraiment? J'en suis contente. Je déteste mettre un chapeau.

— Et il est bien dommage de cacher d'aussi beaux cheveux, rétorqua lord Manville.

Candida rougit. Lord Manville la regarda avec approbation.

« Elle est vraiment incroyable, pensa-t-il. Si on ne savait pas de quelle écurie elle provient, au littéral comme au figuré, on croirait qu'elle n'a jamais reçu de compliments de sa vie. »

Ils sortirent et la chaleur du soleil printanier

les surprit. Les lilas embaumaient. Candida, con-
templant le parc avec son tapis doré de jonquilles, se dit que c'était le genre de propriété de
campagne dont elle avait toujours rêvé.

C'était le cadre qui convenait à Pégase. Si le
maître était à sa mesure, ce pouvait être un para-
dis pour un cheval. Ils se dirigèrent vers les écuries.

— Qui est Pégase? demanda Adrian.

— C'est mon cheval, répondit Candida impulsivement.

Elle ajouta :

— Je veux dire qu'il appartient désormais à
lord Manville. C'est le plus merveilleux cheval du
monde. Il n'a pas son pareil.

— Pourquoi l'avoir appelé Pégase?

— Je suis sûre que vous savez la réponse.

— Suis-je bête! C'est le cheval ailé de la mytho-
logie grecque, bien entendu.

Elle lui sourit, puis, de crainte que lord Manville les trouvât trop poétiques, elle demanda :

— Votre Seigneurie a-t-elle beaucoup de chevaux?

— Un certain nombre et je compte en acheter
d'autres bientôt. Peut-être accepterez-vous de m'aider à les dresser?

— Parlez-vous sérieusement? demanda Candida,
les yeux brillants à cette perspective.

— Nous verrons. Vous semblez trop frêle pour
pouvoir venir à bout d'un cheval fougueux qui n'a
jamais été dressé.

— J'aidais le capitaine Hooper. Il prétend que
je suis aussi bonne cavalière, sinon meilleure, que
toutes celles qu'il a connues.

— Le capitaine Hooper est un expert en la matière, riposta lord Manville avec une note de sarcasme dans la voix.

— Il a de bons chevaux et ils sont bien dressés. Son écurie doit être la meilleure de Londres.

— C'est certainement la plus connue.

— Je le pensais, répondit Candida innocemment.

Il lui jeta un regard moqueur mais ne dit rien.

Lorsqu'elle aperçut les écuries, Candida s'extasia. C'était de beaux bâtiments en brique ancienne, patinée par les ans. Les portes des boxes étaient peintes d'un blanc éclatant.

Il y en avait beaucoup et les animaux, comme elle s'y attendait, semblaient dignes d'un homme qui avait la réputation d'être le meilleur juge de chevaux d'Angleterre.

Le palefrenier en chef se précipita vers eux.

— Bonjour, my lord, je suis heureux de voir Votre Seigneurie.

— Merci, Garton. Candida, voilà Garton. Il est à Manville depuis mon enfance.

— C'est vrai, my lord. Cela fera trente ans à la Saint-Michel.

— Mlle Walcott s'intéresse particulièrement aux chevaux, Garton.

— Dans ce cas, j'en ai beaucoup à vous montrer, mademoiselle.

— Pourrais-je voir Pégase d'abord? demanda Candida, incapable d'attendre plus longtemps.

Au son de sa voix, il y eut un bruit de sabots dans l'un des box.

— C'est Pégase, my lord. Il semblait nerveux, c'est pourquoi je l'ai enfermé, expliqua le palefrenier en chef.

— Voudriez-vous le laisser sortir? Il n'y a pas besoin de le tenir, dit Candida.

Le palefrenier en chef la regarda avec surprise, puis interrogea lord Manville du regard.

— Faites ce que Mlle Walcott vous demande, Garton.

— Très bien, my lord, répondit Garton, mais en secouant la tête d'un geste désapprobateur.

Candida attendait. Pégase piétinait bruyamment dans son box. Lorsque les verrous furent tirés et que la porte s'ouvrit, elle siffla doucement. Garton s'écarta comme s'il s'attendait à ce qu'une trombe se précipitât dans la cour. Mais Pégase sortit lentement. Il était magnifique dans sa robe brillante et agitait la tête avec une grâce altière.

— Pégase, appela Candida.

Il hennit, comme pour exprimer sa joie, rua pour manifester son indépendance, puis se dirigea vers elle au petit trot.

— Pégase, comment vas-tu mon amour? murmura-t-elle.

Elle avait levé le bras pour le caresser et lui-même effleurait sa nuque de ses naseaux.

— A-t-on bien pris soin de toi? Comme tu m'as manqué ce matin!

Elle ne se rendait pas compte du spectacle qu'elle donnait et que tout le personnel de l'écurie la regardait. Elle entendit lord Manville dire :

— Vous voyez, Garton, que Mlle Walcott sait comment il faut s'y prendre avec les chevaux.

— Je le constate, my lord.

Adrian s'approcha de Pégase et lui tapota l'encolure.

— Il mérite bien son nom, déclara-t-il à Candida. Il a exactement l'allure que j'imaginais.

— Je m'attendais à ce que vous disiez cela, répondit Candida en souriant.

Lord Manville avait remarqué cet échange de propos. Il s'éloigna en direction des boxes.

— Attendez-nous, cria Candida, sentant que quelque chose l'avait contrarié.

Elle ajouta :

— Ne pouvons-nous pas vous accompagner?

— Si vous n'avez rien d'autre à faire... répliqua-t-il avec indifférence.

— Mais je veux voir tous vos chevaux. Je me suis occupée d'abord de Pégase uniquement parce que je ne l'avais pas vu depuis longtemps.

— Vous ne l'avez pas vu depuis hier, protesta lord Manville.

— Le temps m'a paru long à moi.

Il regarda le visage délicat aux yeux immenses et Pégase immobile à côté de Candida.

— Venez et parlez-moi de mes chevaux, dit-il d'un ton plus aimable. Je sens que vous avez beaucoup à m'apprendre.

— Le capitaine Hooper affirme que vous en savez plus sur les chevaux que quiconque.

— C'est une bonne réputation et je souhaiterais qu'elle soit vraie. Mais je suis toujours prêt à m'instruire. Dites-moi comment vous avez appris à votre cheval à venir quand vous l'appelez.

— Il m'a toujours suivie partout. Je n'ai jamais eu besoin de bride. Où qu'il soit dans les champs, il me suffit de siffler pour qu'il vienne.

— Vous entendez, Garton ? Vos garçons d'écurie perdent des heures le matin à tenter d'attraper un cheval qui ne veut pas se laisser seller.

— C'est un art qu'on ne peut pas enseigner, my lord, répliqua Garton.

— Vous avez raison, approuva lord Manville. Que pensez-vous de cette jument, Candida ? Je l'ai achetée il y a trois ans et vous admettrez qu'elle vaut aujourd'hui beaucoup plus que je ne l'ai payée.

Ils se promenèrent dans les écuries pendant plus d'une heure. Candida en apprécia chaque instant. Sa connaissance des chevaux surprit non seulement lord Manville mais Garton lui-même.

Elle leur expliqua quelles étaient les meilleures herbes pour des cataplasmes et elle pénétra dans le box d'un cheval qui faisait peur aux garçons d'écurie. Il se laissa caresser par elle en demeurant parfaitement tranquille tant qu'elle fut à ses côtés.

— Nous monterons à cheval demain matin, déclara lord Manville lorsqu'ils quittèrent les écuries. Acceptez-vous de vous lever tôt, Candida ?

— Mais bien sûr. A Londres, je me rendais à l'écurie à 5 h 30.

— Ce devait être épuisant de brûler la chandelle par les deux bouts, remarqua lord Manville.

134

La plupart des dames aiment à dormir tard lorsqu'elles ont passé la soirée à se divertir en ville.

Candida faillit dire qu'elle n'avait jamais passé une soirée au-dehors. Puis elle se souvint de ce que lord Manville attendait d'elle.

— Je suppose que je suis robuste, répondit-elle.

— Il vous faudrait l'être pour supporter une telle existence à la longue, répliqua lord Manville d'un ton sec.

Elle se demanda pourquoi il se montrait aussi désagréable.

Ils retournèrent au château. Lord Manville fit appeler la gouvernante, une vieille femme austère vêtue de soie noire. Candida eut l'impression qu'elle n'approuvait pas sa présence.

— Madame Hewson, voilà Mlle Walcott, dit lord Manville. Veuillez lui montrer sa chambre et veillez à ce qu'elle ne manque de rien. Je suppose qu'on s'est occupé de ses bagages.

Mme Hewson fit une révérence très sèche et répondit respectueusement :

— Les femmes de chambre ont mis toutes ses affaires en place.

Lord Manville jeta un coup d'œil à sa montre :

— Soyez en bas d'ici une heure. Adrian, efforcez-vous de ne pas être en retard. Je déteste mettre mon chef en colère en gâchant ses plats.

— Vous avez amené votre chef de Londres? remarqua Adrian. C'est une bonne nouvelle. Je ne savais pas que vous aviez l'intention de recevoir.

— Je n'en ai pas l'intention. Mais j'estime qu'une bonne cuisine et de bons vins sont nécessaires à mon confort et, bien entendu, au vôtre.

Adrian fut le seul à comprendre que cette riposte masquait quelque chose. Mais il eût été très étonné s'il s'était rendu compte de l'étendue du sacrifice que son tuteur avait accompli pour lui.

— Si je vais à la campagne, avait dit lord Manville à son majordome à Londres, je ne veux pas manger de la cuisine de campagne. Il est suffisamment désagréable de devoir quitter Londres à cette époque de l'année sans y ajouter le désagrément de mal manger.

— Mme Cookson est une bonne cuisinière, my lord, avait répliqué le majordome. Mais je conviens qu'elle n'a pas la classe d'Alphonse. Néanmoins, vous connaissez ces Français. J'ai l'impression que, pas plus que Votre Seigneurie, il n'a envie de quitter Londres en ce moment.

— Dites à Alphonse que je compte sur lui pour me soutenir pendant trois jours qui, j'ai tout lieu de le croire, seront une épreuve aussi ennuyeuse que désagréable.

— Je ne doute pas qu'Alphonse, en apprenant cela, ne fasse son possible pour la rendre moins pénible à Votre Seigneurie.

A la surprise de lord Manville, non seulement le dîner fut délectable, un véritable rêve d'Epicure, mais la compagnie de Candida et d'Adrian lui parut beaucoup plus amusante qu'il ne l'aurait cru possible.

Il avait oublié que les jeunes gens avaient une gaieté naturelle qui leur était propre. Il s'était habitué à l'esprit acerbe et destructeur des gens de sa génération et aux flatteries des femmes qu'il courtisait.

Flirter impudemment avec des phrases à double sens était très différent des plaisanteries qu'échangeaient un jeune homme et une jeune fille. Il se surprit à rire de réflexions qu'en d'autres circonstances il eût trouvées banales ou ennuyeuses. Il dut admettre l'incroyable, que les jeux de cartes enfantins qu'il ne pratiquait plus depuis vingt ans pouvaient être aussi excitants que de miser des sommes élevées dans un club.

— Il y a un jeu très amusant auquel je jouais avec mes parents. Nous l'appelions « l'invention de mots », avait dit Candida.

Et elle s'était mise à battre lord Manville et Adrian.

— Vous êtes trop habile pour nous, mais c'est parce que vous y avez joué plus souvent, avait déclaré Adrian.

Ils terminèrent la soirée avec le jeu des conséquences, en riant tellement dès situations ridicules qu'ils créaient que lord Manville s'en égayait encore après que Candida et Adrian se furent engagés dans le grand escalier, chandeliers en main.

— Bonne nuit, my lord, avait dit Candida en faisant une révérence. Je ne serai pas en retard demain matin. Vous avez dit 7 heures?

— Nous pouvons partir plus tard si vous le préférez.

— Je pense que c'est Votre Seigneurie qui dormira tard au bon air de la campagne.

— Nous verrons bien. Et nous verrons aussi comment vous vous débrouillez avec Pégase en dehors du manège et de Hyde Park.

— Pégase préfère de beaucoup être libre de toutes les conventions, restrictions et solennités, et moi aussi.

Elle avait souri et, soulevant légèrement sa robe du soir, elle avait couru derrière Adrian. Lord Manville l'avait entendu dire à voix basse :

— Je vous prie d'être vous aussi à l'heure. Il ne servirait à rien que vous soyez ensommeillé. Ne veillez pas cette nuit.

— Non, je tâcherai de dormir, avait répondu Adrian.

Lord Manville les avait suivis du regard, perplexe. De quoi parlaient-ils? Et pourquoi se sentait-il subitement exclu? Ils avaient eu l'un et l'autre une attitude aimable et gaie pendant le dîner, et il avait été reconnaissant à Candida d'avoir réussi à tirer Adrian de sa bouderie et de lui rendre les choses aussi faciles. En fait il s'était véritablement amusé, contrairement à son attente.

Maintenant, il devenait soupçonneux. Il ne savait pas de quoi, mais il avait l'impression qu'il se tramait quelque chose derrière son dos et cela l'irritait. Puis il haussa les épaules. Les belles amazones avaient leurs propres recettes pour parvenir à leurs fins. Candida faisait ce qu'il lui avait demandé. Il avait tout lieu de lui en être reconnaissant et de se montrer satisfait.

Mais il ne pouvait s'empêcher de penser à l'expression de soulagement qu'il avait lue sur son visage lorsqu'il lui avait dit qu'il ne s'intéressait pas personnellement à elle. Qu'est-ce que cela signifiait? L'attitude de Candida envers lui était franche et amicale. Au moment du dîner, il s'était rendu compte qu'elle avait perdu beaucoup de sa timidité.

Lorsqu'ils avaient joué aux cartes, elle l'avait traité de la même façon qu'elle traitait Adrian, en les taquinant l'un et l'autre parce qu'ils ne trouvaient pas les mots appropriés.

Elle avait ri spontanément, avec une gaieté contagieuse, et ce qu'il eût qualifié d'ordinaire de plaisanterie puérile l'avait amusé parce que Candida en avait ri, comme si c'était exceptionnellement drôle.

En ce qui concerne Adrian, il ne faisait pas de doute qu'il avait trouvé la femme qu'il fallait. Jamais il n'avait vu son pupille si animé, ni si raisonnable. Il aurait probablement oublié la fille du pasteur d'ici la fin de la semaine pour être tombé amoureux de Candida.

Elle était tout aussi étonnante à sa façon que le gigantesque étalon noir qu'elle aimait si tendrement. Puis il se souvint que Hooper avait dit quelque chose d'analogue et sa bouche se durcit.

Etant donné ce qu'elle était, le milieu dont elle provenait, n'était-elle pas en train de le duper lui? Etait-elle si habile qu'il se laissait prendre à son piège sans s'en rendre compte?

Lord Manville retourna dans le salon et se versa un verre de cognac. Puis il se dirigea vers les portes-fenêtres ouvertes et contempla le jardin. Le ciel était étoilé et une moitié de lune montait dans le ciel.

Il respirait le parfum des fleurs nocturnes. Une brise tiède caressait ses joues. Le silence de la maison était accentué par les rumeurs du parc qui s'étendait au delà du lac.

Lord Manville se sentit subitement ému par la beauté de sa propriété comme jamais il ne l'avait été. Manville Park était son foyer, le lieu où il avait ses racines parce qu'il y avait grandi.

Puis, comme une dérision, surgit dans sa mémoire le visage de la jeune fille qu'il voulait épouser autrefois, qu'il avait imaginée maîtresse de Manville Park, son épouse et la mère de ses enfants.

Il y avait eu d'autres femmes dans sa vie avant elle, mais elle était la seule qu'il avait souhaité épouser. Il l'entendait encore dire de sa voix harmonieuse et froide :

— Je suis désolée, Silvanus, mais comprenez que Hugo a tellement plus de choses à m'offrir.

— Voulez-vous dire que parce qu'il est marquis, alors que moi je n'ai pas encore hérité, vous l'aimez plus que vous ne m'aimez?

— Il ne s'agit pas de cela, avait-elle répondu, un peu gênée. Mais il nous faudrait attendre si longtemps, Silvanus. Votre père n'est pas encore vieux. Si j'épouse Hugo, ce sera le mariage le plus brillant de la Saison, et je serai dame d'honneur de la reine. Il y a beaucoup d'autres choses qu'il est en mesure de m'offrir, et ces choses comptent, quoi qu'on en dise, dans la vie d'une femme.

— Mais mon amour pour vous et celui que vous prétendiez avoir pour moi, ça ne compte pas?

— Je vous aime, Silvanus, avait-elle répondu d'un ton plus doux, mais cela ne nous mène nulle part. Vous devriez vous en rendre compte. Je suis obligée d'épouser Hugo. Je n'ai pas le choix. Je me souviendrai toujours de vous et j'espère que vous ne m'oublierez pas, mais il serait insensé de nous marier.

Sur le moment, il avait l'impression d'avoir été assommé. Il n'arrivait même pas à comprendre ce qui se passait. La douleur et la colère étaient venues ensuite et la haine pour une personne qui l'avait aussi cruellement blessé.

Il ne l'avait jamais oubliée et il n'avait jamais désiré épouser une autre femme. Il en avait aimé des douzaines, qui s'étaient attachées à lui, d'autant plus peut-être qu'elles sentaient qu'il leur échappait.

Il y avait toujours quelque chose, même au paroxysme de la passion, qui les avertissait qu'il n'était pas leur captif, qu'il n'était pas totalement subjugué.

— Pourquoi vous tenez-vous toujours sur la réserve en vous observant vous-même ? avait demandé l'une d'entre elles alors qu'ils étaient couchés côte à côte, à la lueur mourante du feu.

— Que voulez-vous dire ? avait-il demandé.

— Vous le savez bien. Vous êtes toujours un peu distant, un peu ailleurs, sans que nous soyons jamais totalement unis.

Il avait fort bien compris ce à quoi elle faisait allusion. Elle l'aimait désespérément et lui l'aimait bien. Mais c'était une des jolies femmes qu'il avait quittées en lui brisant le cœur.

Il n'y pouvait rien. Il y avait quelque chose en lui qui l'incitait à mépriser et presque à détester la femme qu'il tenait dans ses bras. Quelque part dans son esprit, une voix sarcastique lui soufflait :

« Cet amour n'est pas suffisant, ne sera jamais suffisant. Tu ne seras jamais complètement uni à personne. »

Il se demanda s'il trouverait jamais une femme aussi belle que Manville Park, qui saurait le retenir parce que leur amour les satisferait l'un et l'autre pleinement.

Puis il chassa cette pensée avec un rire cynique et, reposant son verre de cognac sans y avoir touché, il se détourna de la beauté du parc parce qu'elle le blessait intolérablement et monta se coucher.

Candida l'entendit gravir les marches de l'escalier. Sa chambre donnait sur le palier du grand escalier. Elle était plongée dans l'obscurité. Candida était couchée dans un lit à colonnes dont la femme de chambre avait dit qu'il avait servi à une reine. Elle était encore pleinement éveillée.

Elle était en train de penser à Pégase, mais en entendant lord Manville ce fut vers lui que se tourna son esprit.

« Il a été gentil aujourd'hui, et pas du tout intimidant. Je pense qu'il a l'intention d'être bon, à la fois pour Adrian et pour moi. Mais quelque chose l'en empêche. »

Elle se demanda ce que c'était et songea qu'une femme en était probablement la cause. Quelqu'un lui avait fait du mal, elle en était intuitivement convaincue.

Il était comme un cheval qui avait été blessé ou cruellement maltraité et qui ne l'avait jamais oublié. Il ressemblait à Pégase. Il était comme lui grand, fort, beau. Mais il manquait d'amour.

« Peut-être parviendrai-je à lui faire oublier sa blessure », pensa-t-elle, gagnée par le sommeil.

Lorsqu'elle s'endormit, Pégase et lord Manville se trouvèrent inextricablement mêlés dans ses rêves.

8

Candida, qui chevauchait flanquée de lord Manville et d'Adrian, se disait qu'elle n'avait jamais
été aussi heureuse. Elle sentait sur sa peau la chaleur du soleil, et la beauté de Manville Park continuait à l'enthousiasmer. Il lui avait suffi de trois
jours pour s'éprendre profondément des lieux.

Elle y avait trouvé une liberté et une gaieté qui
lui donnaient l'impression de vivre dans un univers enchanté depuis le premier soir où ils
s'étaient divertis avec des jeux de cartes enfantins.
Lord Manville n'était plus ni distant ni intimidant. Il avait même cessé d'être cynique.

Il n'y avait pas que lord Manville à ne plus
l'effrayer. Les innombrables domestiques qui veil-
laient sur leur confort dans l'immense demeure
était devenus des familiers avec lesquels elle s'entretenait aussi facilement qu'avec le vieux Ned.

Mme Hewson ne lui opposait plus l'air de dés-
approbation qu'elle avait eu au premier abord.
Elle lui avait parlé de sa nièce qui souffrait de
consomption et de sa sœur, qui était gouvernante
chez la duchesse de Northaw.

Candida avait appris que Bateman, le maître
d'hôtel, qui avait une allure d'archevêque,
souffrait de rhumatismes quand le vent était à
l'est, et que Tom, le plus jeune des sommeliers,
avait des rages de dents.

Lorsqu'elle s'était habillée ce matin-là, en songeant avec un plaisir anticipé que, sitôt après le petit déjeuner, ils iraient se promener dans le parc, elle s'était dit combien elle avait de la chance de s'être fait tant d'amis à Manville Park. Elle avait l'impression d'y être chez elle.

Les jours précédents, ils avaient visité diverses fermes appartenant à lord Manville et elle avait été fascinée par les cuisines aux poutres de chêne où pendaient des morceaux de lard et des jambons fumés.

Elle avait remarqué avec quel naturel lord Manville s'attablait devant un thé composé de pain fraîchement cuit, d'œufs et de tranches de jambon que chaque fermière fumait suivant une recette qui lui était propre avec la conviction qu'elle était meilleure que celles de ses voisines.

Candida avait écouté lord Manville parler avec ses fermiers et elle s'était rendu compte que non seulement ils le respectaient mais qu'ils avaient pour lui de l'admiration et une sorte d'affection. L'un d'eux lui avait dit, au moment de partir :

— Sa Seigneurie n'est pas seulement un aristocrate. C'est un homme comme il y en a peu.

Candida avait aussi admiré la façon dont lord Manville maîtrisait Tonnerre, son cheval. Ce matin-là, l'animal était d'humeur particulièrement indépendante. Il caracolait, faisait des écarts, tentait de prendre le galop. Il fallait un homme d'une force exceptionnelle et un cavalier consommé pour en venir à bout.

Candida se dit qu'elle n'avait jamais vu homme monter avec plus d'élégance. Il semblait ne faire qu'un avec son cheval.

Adrian était taciturne. Elle devina que l'idée d'un nouveau poème germait en lui. Déjà, avec son aide, son style s'affermissait. Le poème qu'il lui avait lu la veille avant que lord Manville descendît pour le dîner était si bon qu'elle était certaine que son père lui-même l'eût apprécié.

Il avait rougi de plaisir lorsqu'elle s'était exclamée :

— C'est le meilleur que vous ayez écrit.

Mais il s'était rembruni sitôt qu'elle avait ajouté :

— Pourquoi ne pas le montrer à votre tuteur?

— Non, surtout pas, avait-il répondu. Il me désapprouverait et je ne voudrais pas gâcher sa bonne humeur.

Il avait glissé le poème dans sa poche juste au moment où Lord Manville pénétrait dans la pièce, jetant à Candida un coup d'œil implorant afin de la dissuader de trahir son confiance.

Elle lui avait adressé un sourire rassurant. Lord Manville s'était demandé une fois de plus avec une irritation irrépressible ce qu'ils lui cachaient.

Mais ce matin, il n'y avait aucun nuage à l'horizon. Il riait d'une remarque que Candida avait faite tandis qu'ils rentraient lentement.

— Le manège sera prêt cet après-midi, dit-il. Voulez-vous faire parader Pégase?

— J'en serais ravie.

Manville Park possédait à la fois un manège intérieur et un autre, construit à l'extérieur, qui ressemblait à un champ de courses en miniature.

Lorsque le père de lord Manville avait pris de l'âge, il avait été atteint de rhumatismes qui lui interdisaient de monter à cheval. Cela ne l'empêchait pas de surveiller le dressage de ses chevaux. Les deux manèges avaient été le plaisir des dernières années de sa vie. L'hiver, il donnait des instructions à ses palefreniers à l'abri des intempéries. L'été, il passait de longues heures dans le manège construit derrière l'écurie, instruisant les cavaliers pendant que ceux-ci dressaient les chevaux.

— J'ai fait refaire les obstacles, remarqua lord Manville. Garton m'a dit que le fossé avait été curé et rempli tout exprès pour nous.

— Ce sera une expérience nouvelle pour Pégase.

144

Il n'a jamais franchi une étendue d'eau. Je serai vexée s'il échoue.

— Je suis sûr qu'il s'en tirera fort bien.

Candida se tourna vers lui, les yeux brillants d'animation. Il se dit une fois de plus qu'elle était une des plus jolies femmes qu'il eût rencontrées.

Il n'avait cessé de l'observer et, sans le faire délibérément, il lui avait tendu des pièges pour mettre sa douceur et sa gentillesse à l'épreuve. Mais elle semblait sans défauts, comme son cheval.

« Elle doit avoir du sang bleu dans les veines », s'était-il dit. Il était impossible de ne pas la comparer avec les pur-sang qu'elle montait sans aucune peur et avec une grâce qui dépassait celle des belles amazones, si bonnes cavalières fussent-elles.

Il avait été étonné de constater que, malgré la douceur dont Candida usait avec les chevaux, les animaux lui obéissaient sans difficulté.

Il avait vu beaucoup de femmes monter à cheval et il avait fini par croire que la dureté des belles amazones envers eux était la seule méthode de dressage efficace. Il commençait à en douter. Il se demandait s'il y avait un rapport direct entre la douceur et la complaisance dont ces femmes faisaient preuve au lit et leur brutalité envers les bêtes qu'elles montaient, qui frisait parfois la cruauté.

Candida était différente, si différente qu'il n'arrivait pas à définir les sentiments qu'elle lui inspirait. Elle avait fait ce qu'il lui avait demandé. Elle avait réussi à captiver Adrian au point qu'il ne doutait pas que le jeune homme en fût déjà épris.

Pourtant, sans comprendre pourquoi, il n'en était pas satisfait.

Il se surprenait à observer la jeune femme, à l'écouter, à penser à elle et il se demandait si, sous son air franc, ingénu, presque enfantin, elle n'était pas en train de le séduire. Il se dit qu'il était sur la défensive, puis écarta cette idée comme étant ridicule.

Elle était très jeune et convenait en tout point à Adrian. Il se félicitait d'avoir trouvé une belle amazone aussi habile pour son pupille, tout en se demandant pourquoi il prenait si peu de plaisir à voir réussir son plan.

Lorsqu'ils rentrèrent, Candida monta se changer. Il restait une heure et demie avant le déjeuner. Ils ne reprendraient pas les chevaux avant l'après-midi.

La femme de chambre avait préparé comme d'habitude un bain parfumé, et les serviettes de toilette sentaient la lavande. Candida, en se séchant, songea qu'elle n'avait jamais joui d'un tel luxe.

Non seulement elle l'appréciait, mais la beauté de Manville Park lui poignait le cœur.

Il y avait les jardins remplis de fleurs. La somptueuse chambre à coucher avec son lit à colonnes dont les tentures avaient été brodées sous le règne de Charles II. Le miroir orné de cupidons dorés. Les meubles en marqueterie cirés avec la cire du rucher. Un vase de roses, les premières de l'année.

« Je suis heureuse, je suis heureuse! » s'exclama-t-elle tout haut.

Elle éprouva soudain le désir urgent de rejoindre lord Manville, d'être avec lui.

Elle n'essaya pas de s'expliquer la nature de ce sentiment. Elle sentait que le temps s'écoulait, qu'il ne fallait pas perdre un instant de l'enchantement qu'elle vivait.

La femme de chambre agrafa sa robe en soie vert pâle, garnie d'innombrables volants de dentelle. Il y en avait également sur les petites manches bouffantes et autour du décolleté, très généreux.

Lorsque Candida avait objecté que Mme Elisa

décolletait trop ses robes, Mme Clinton et la couturière s'étaient contentées de sourire de ses protestations. En se regardant dans la glace, elle regretta que la robe ne fût pas plus discrète, puis elle cessa d'y penser.

Elle n'avait qu'une idée : aller rejoindre lord Manville. Sitôt que la femme de chambre eut terminé son chignon, elle se dirigea vers le grand escalier et courut presque vers la bibliothèque.

Lorsqu'elle ouvrit la porte, elle constata avec déception qu'elle était vide. « Peut-être est-il sorti de nouveau », songea-t-elle. Puis elle se souvint qu'elle avait promis à Adrian qu'elle essaierait de trouver un livre de poèmes grecs dont ils pensaient qu'il devait se trouver quelque part sur les rayons.

Ils ne se souvenaient pas de son titre, mais Candida était certaine de reconnaître la couverture.

Elle parcourut du regard les rayons de la bibliothèque. Tout en haut, elle crut apercevoir ce qu'elle cherchait. Avec quelque difficulté, elle déplaça l'escabeau en acajou qui était à l'autre bout de la pièce.

Elle grimpa les échelons et prit le livre. Ce n'était pas celui qu'elle désirait, mais il était intéressant.

Elle le feuilletait lorsque la porte s'ouvrit. Elle se retourna et vit lord Manville qui, lui aussi, s'était changé et était plus élégant que jamais. Son cœur bondit et, tenant toujours le livre à la main, elle entreprit de descendre de l'escabeau.

— Qu'espériez-vous trouver tout là-haut? demanda lord Manville, amusé. Faut-il croire que les fruits les plus savoureux sont toujours hors d'atteinte?

Candida était à mi-hauteur de l'escabeau. Elle se retourna pour lui sourire et manqua un échelon. Elle oscilla, glissa, et tomba dans ses bras.

— Vous devriez faire attention, lui reprocha-t-il. Vous pourriez vous blesser.

Il la dominait de toute sa hauteur. Candida prit subitement conscience de la force des bras qui la tenaient et de la proximité de son corps. Elle lui arrivait à peine à l'épaule. Leurs regards se croisèrent.

Le monde, autour d'eux, sembla s'évanouir. Quelque chose de magique et de très étrange passa de l'un à l'autre. C'était si étrange que Candida en perdit le souffle.

Les bras de lord Manville se resserrèrent autour d'elle. Avec un frémissement, elle se rendit compte que ses lèvres frôlaient presque les siennes.

Elle fit un mouvement involontaire et entendit une déchirure. L'envoûtement se dissipa. Un volant de dentelle s'était accroché à l'escabeau et s'était déchiré. D'un geste rapide, Candida, par peur de ses propres sentiments, se libéra.

— J'ai abîmé ma robe! s'exclama-t-elle d'une voix étouffée, qui résonna étrangement à ses propres oreilles.

— Je vous en achèterai une autre.

Il la fixait intensément et parlait machinalement, comme s'il n'avait pas conscience de ses paroles.

Candida acheva de dégager sa robe.

— Je ne pourrais pas accepter. Ce ne serait pas convenable, balbutia-t-elle.

— Et pourquoi pas? Après tout, j'ai payé celle que vous portez.

Candida se tourna vers lui avec une expression qui le surprit.

— C'est vous qui avez payé cette robe?

Avant qu'il pût répondre, ils furent distraits par un bruit de voix et de rires. C'était un véritable brouhaha. La porte de la bibliothèque s'ouvrit.

Ils virent un tourbillon de visages rieurs, de chapeaux à plumes, de bijoux, de soie, de velours, de tarlatanes et de crinolines si amples que les créatures qui les portaient avaient du mal à passer par la porte.

L'une d'entre elles se détacha du groupe. C'était une personne animée, gracieuse, qui avait un teint de magnolia et des yeux sombres en amande. Elle courut vers lord Manville.

— Lais! s'exclama-t-il.

Candida vit la jeune femme se suspendre à son cou en criant gaiement :

— N'est-ce pas une bonne surprise? Etes-vous content de nous voir? Nous ne pouvions pas vous abandonner à votre solitude plus longtemps.

Lord Manville, par-dessus le chapeau à plumes de Lais, regarda les femmes qui pénétraient à sa suite dans la bibliothèque. Il les connaissait toutes. Il y avait Fanny, qui provenait d'un quartier mal famé de Liverpool, mais qui, grâce à son habileté équestre, était devenue l'une des plus célèbres et des plus chères d'entre les belles amazones.

Il y avait Phyllis, la fille d'un pasteur de campagne, qui s'était éprise d'un homme marié. Il l'avait entretenue pendant plusieurs années puis il avait regagné le domicile conjugal. Elle était une belle amazone très cotée.

Il y avait Dora qui avait un visage de bébé et des boucles blondes. Elle avait la réputation de se servir de son éperon avec une particulière cruauté. Sa jupe était toujours tachée de sang. Faire l'amour avec elle, c'était comme s'enfoncer dans un bol de crème onctueuse.

Il y avait Nelly, Laurette, Mary Ann, toutes jolies, spirituelles et gaies. Ces femmes, il les avait courtisées et trouvé leur compagnie plus agréable que celle des dames de la noblesse. Mais aujourd'hui, sans qu'il sût pourquoi, leur présence à Manville Park l'irritait.

Elles étaient escortées de trois officiers de la cavalerie royale. Il y avait le duc de Dorset, un jeune homme rougeaud, plutôt bête, qui buvait plus que de raison. Le capitaine Willoughby, qui avait dilapidé sa fortune à vingt-cinq ans et en avait gagné une autre dans les salles de jeu. Le comte de Feston, qui donnait dans les établissements à la mode des soirées fastueuses mais si agitées qu'il fallait refaire la décoration ensuite.

Derrière eux se dandinait sir Tresham Foxleigh, le visage rubicond et le sourire aux lèvres.

— Foxy nous a offert l'hospitalité, expliqua Lais d'une voix aiguë, dominant le tohu-bohu que faisaient les belles amazones qui s'étaient agglutinées autour de lord Manville. Il nous a invités et nous avons amené quelques chevaux. Il a eu l'idée d'organiser une compétition cet après-midi dans votre manège. Ne me dites pas que vous n'allez pas nous offrir à déjeuner car nous mourons de faim.

Il était difficile à lord Manville de ne pas accepter. Il n'avait pas remarqué le sursaut qu'avait eu Candida à la vue de sir Tresham. Elle s'était raidie, cherchant du regard une issue de secours, mais il n'y en avait pas d'autre que la porte par laquelle les autres étaient entrés.

Ne pouvant s'éclipser, elle ne pouvait que regarder et écouter, en sentant que les yeux de sir Tresham étaient fixés sur elle seule.

Lord Manville, malgré le tumulte, entendit sir Tresham dire :

— Mademoiselle Candida, veuillez me croire, je n'ai qu'un désir, vous présenter mes excuses, en vous suppliant de me pardonner.

Avec une colère soudaine et déraisonnable, lord Manville se demanda comment Candida connaissait un homme comme sir Tresham et le motif pour lequel il lui présentait des excuses. Il souhaitait entendre sa réponse, mais la voix de Lais la couvrit.

— Je n'ai rien à vous dire, monsieur, répliqua Candida.

— Vous devez me croire, insista sir Tresham.

Je regrette profondément de vous avoir choquée et j'en suis humblement contrit.

Candida ne répondit pas. Il reprit :

— Vous voyez bien que je me mets à votre merci. Vous n'aurez pas la dureté de repousser un pécheur repentant.

— Dans ce cas, j'accepte vos excuses, monsieur, mais je vous prie de m'excuser...

— Non... attendez! s'exclama-t-il.

Mais elle avait réussi à le contourner et courut vers la porte. Dans le hall, elle se heurta à Adrian qui descendait l'escalier.

— Que se passe-t-il? demanda-t-il. Quel est ce bruit?

— Des tas de gens sont arrivés. Et cet homme, cet individu horrible! J'espérais ne jamais le revoir.

— Qui est-ce? Pourquoi vous bouleverse-t-il à ce point?

Candida ne répondit pas. Il insista :

— Dites-moi ce qu'il vous a fait pour vous mettre dans cet état. Vous tremblez. De qui s'agit-il?

— Il s'appelle sir Tresham Foxleigh, balbutia-t-elle.

— J'en ai entendu parler. Il a très mauvaise réputation. Ne vous occupez pas de lui.

— Je l'éviterai si je le peux. Mais pourquoi est-il ici? Lord Manville m'a dit qu'il était son voisin mais qu'il ne l'aimait pas.

— Il ne restera pas longtemps, je suppose. Pourquoi vous effraie-t-il à ce point?

— Il s'est introduit de force chez Mme Clinton un jour où j'étais seule.

Candida frissonna au souvenir de ce qui s'était passé.

— Il a tenté de m'embrasser. C'était répugnant.

— Je vous ai dit que ce n'était pas un gentleman. Il ne peut pas vous faire de mal dans cette maison.

— Je ne veux pas lui parler. Je ne veux pas

qu'il m'approche, déclara Candida, au bord de l'affolement.

— Il ne le fera pas. Je resterai avec vous et je me charge de l'éloigner.

— Vous me le promettez?

— Je vous le promets, ne vous inquiétez pas, Candida.

Elle s'efforça de sourire, mais ses yeux demeuraient inquiets.

— Le déjeuner sera prêt d'ici un instant, dit Adrian en regardant la pendule. Ils resteront sûrement, mais j'espère qu'ils partiront ensuite.

— Je le voudrais, soupira Candida, en pensant au projet que Lais avait pour l'après-midi.

Son espoir ne tarda pas à être déçu. Pendant le déjeuner, Lais, qui avait pris place d'autorité à côté de lord Manville, annonça les projets qu'ils avaient arrêtés avant leur arrivée.

— C'est l'idée de Foxy d'organiser une compétition pour voir qui est la meilleure cavalière. Figurez-vous qu'il a proposé un prix de cent guinées.

— C'est vrai! proclama sir Tresham d'une voix tonitruante. Cent guinées, Manville! Etes-vous disposé à en faire autant?

Lord Manville le toisa froidement :

— La compétition ayant lieu dans ma propriété, ce serait insuffisant. J'offre deux cents guinées.

Les autres en eurent le souffle coupé. Certaines des belles amazones applaudirent. Les yeux de sir Tresham étincelèrent. Candida songea que c'était un homme violent, qui détestait sans doute qu'un autre l'emporte sur lui. Néanmoins, il sourit :

— Je suis prêt à parier avec vous, Manville, que la cavalière de mon choix l'emportera sur la vôtre.

— Et quel enjeu proposez-vous? demanda lord Manville, sans même chercher à masquer son mépris.

— Jouons gros, ce sera plus amusant, riposta sir Tresham avec un défi évident. Pourquoi pas cinq cents guinées? Ou est-ce trop cher pour vous?

— Pas du tout. Je m'étonne de votre modération. Laquelle de ces dames choisissez-vous?

— Laïs. Qui pourrais-je choisir d'autre?

Il y eut un silence. Il était évident que c'était un camouflet. Les regards des deux hommes se croisèrent. Candida lut de la provocation dans celui de sir Tresham. Celui de lord Manville n'exprimait rien. Il semblait n'avoir pas pris conscience de l'insolence de son invité.

— Dans ce cas, répondit-il froidement, moi je choisis Candida.

Il y eut un murmure de surprise et Candida se rendit compte que tous les yeux se fixaient sur elle. L'espace d'un instant, elle se sentit prise de panique puis se rendit compte que lord Manville ne misait pas sur elle mais sur Pégase. Il était capable de faire face à ce défi.

— Je suis désolée que Foxy m'ait choisie moi. J'avais l'intention de monter pour vous Silvanus. J'ai même amené Firefly.

— Je me demande qui a arrangé cela? remarqua lord Manville avec un sourire particulièrement cynique.

« Il y a un complot derrière tout cela », songea Candida.

Elle avait l'impression d'assister à une comédie montée de toutes pièces. Elle s'étonnait de la familiarité avec laquelle Laïs traitait lord Manville et de l'effronterie qu'elle avait manifestée en s'installant d'autorité à côté de lui. Pourquoi sir Tresham Foxleigh se comportait-il d'une façon qui, même pour une personne aussi inexpérimentée qu'elle, était de toute évidence agressive et grossière?

Lord Manville avait déclaré qu'il n'aimait pas sir Tresham, mais sir Tresham détestait visiblement lord Manville. C'était très déconcertant.

Sous la table, la main d'Adrian se posa sur la sienne dans un geste rassurant.

— Ne vous inquiétez pas, lui murmura-t-il, ce sont de vieux ennemis.

Il y avait de multiples questions qu'elle eût voulu poser, mais la situation ne s'y prêtait pas. Les femmes se levèrent de table dans un brouhaha de conversations et de rires. Elle entendit Lais dire à lord Manville :

— Nous allons nous changer. Foxy a pensé à tout. Je suis convaincue que vous désirez nous retenir à dîner. Nous pourrons danser et jouer aux cartes ensuite. Ce serait amusant, n'est-ce pas?

— Ai-je voix au chapitre? demanda lord Manville.

Lais, riant d'une façon provocante, se pencha pour lui chuchoter quelque chose à l'oreille. Candida eut l'impression d'être plongée dans un monde de ténèbres et de solitude.

Elle quitta la salle à manger derrière le groupe de femmes qui bavardaient, traversa le hall et s'engagea dans le grand escalier. Lorsque l'une des femmes voulut l'aborder, elle prit la fuite et gravit les marches en courant pour se réfugier dans sa chambre.

Elle eût été incapable de préciser le motif de cette fuite. Tout avait subitement changé. Le sentiment de bonheur et de sécurité que lui avait procuré son séjour à Manville Park s'était évanoui. Elle était totalement seule dans un lieu qui était devenu étranger, entourée de gens qu'elle ne comprenait pas. Que se passait-il? Elle n'arrivait pas à se l'expliquer mais elle était extrêmement malheureuse.

Quelqu'un frappa à la porte. Candida se raidit.

— Qui est-ce?

— La femme de chambre, mademoiselle.

— Entrez.

La femme de chambre ferma la porte de la chambre derrière elle.

— J'ai cru comprendre, mademoiselle, que vous alliez vous changer pour mettre votre amazone.

— Non, je ne monte pas, dit Candida.

Puis elle se souvint du pari.

Elle ne pouvait pas décevoir lord Manville en refusant de monter Pégase. Elle ne pouvait pas lui faire perdre cinq cents guinées au profit de l'odieux sir Tresham Foxleigh.

— J'avais oublié, donnez-moi mon amazone.

Il lui fallait, bon gré mal gré, jouer le jeu jusqu'au bout. Du moins Pégase leur montrerait-il qu'il était supérieur à tous les autres chevaux.

Elle ne devait pas penser à Laïs, à son joli visage, à ses yeux en amande, ni aux relations qu'elle entretenait avec lord Manville. Elle ne devait pas penser à sir Tresham Foxleigh et à son sourire horriblement insinuant. Elle ne devait penser qu'à Pégase, le plus beau de tous les chevaux.

Ce ne fut que lorsqu'elle se dirigea vers le manège en compagnie des autres invités qu'elle se rendit compte qu'elle portait une amazone qu'elle n'avait jamais mise jusqu'à ce jour.

Elle était d'un bleu lavande qui rehaussait la blancheur de sa peau et les reflets dorés de ses cheveux. Un petit chapeau de velours l'accompagnait, garni d'une plume d'autruche de la même couleur qui suivait la courbe du visage et se terminait sous son menton.

Elle savait qu'elle était élégante et elle n'aurait pas été femme si elle n'avait pris plaisir à l'idée qu'elle n'avait pas à avoir honte de son apparence parmi ces femmes vêtues de vêtements chers et extravagants. Puis elle vit Laïs et cessa d'être contente d'elle-même.

Laïs portait une amazone écarlate bordée de galon noir et un chapeau haut de forme ceint d'un voile écarlate. Non seulement elle avait beaucoup d'allure, mais elle était extraordinairement séduisante.

Elle chevauchait Firefly aux côtés de lord Manville. Seule Candida remarqua le mouvement du pied sous la jupe et devina qu'elle se servait de son éperon même quand Firefly marchait au pas.

« Je la déteste, songea Candida. Comment peut-on être aussi cruelle envers un malheureux cheval? » Mais elle savait qu'il y avait d'autres causes à l'animosité qu'elle éprouvait.

Sir Tresham Foxleigh semblait avoir organisé la compétition jusqu'au moindre détail. Les cavalières devaient montrer leur savoir-faire à tour de rôle, et les messieurs pouvaient engager des paris entre eux ou avec lui.

— Je suis prêt à relever tout défi, proclama-t-il avec ostentation.

Les épreuves devaient se terminer par la compétition entre sa cavalière et celle de lord Manville. Tout ayant été décidé à l'avance, personne ne songea à discuter.

Le cheval de Dora était nerveux. Elle demanda donc à sauter les obstacles la première. Candida remarqua qu'elle utilisait avec excès non seulement sa cravache mais son éperon dont elle donnait de grands coups dans le flanc du cheval. Candida avait entrevu l'instrument au moment où elle gravissait sur le montoir et la vue de la pointe longue et acérée l'avait fait frémir.

Le duc de Dorset avait parié sur Dora contre Phyllis, la cavalière suivante. Il gagna deux cents guinées que l'homme qui avait soutenu Phyllis paya de bonne grâce après un haussement d'épaule amusé.

Des paris tout aussi gros furent faits pour Fanny, Mary Ann, Laurette et Nelly. Le moment arriva, beaucoup trop vite pour le goût de Candida, où Lais, après avoir chuchoté avec lord Manville, prit le départ avec Firefly.

Il y avait dix obstacles, assez hauts, puis le fossé, d'une largeur respectable, masqué par une haie. Le cheval, ne le voyant pas, devait se détendre au cours du saut pour éviter l'eau.

Celui de Nelly avait renâclé devant l'obstacle. Elle l'avait obligé à sauter une seconde fois, à coups de cravache et d'éperon. Il avait sous-estimé la distance et éclaboussé la cavalière.

Le parieur qui avait misé sur Nelly y perdit deux cent cinquante livres et Nelly était revenue prendre place parmi les spectateurs d'un air maussade en se vengeant de son cheval avec son éperon.

Lais était très sûre d'elle-même. Elle était une cavalière consommée et Firefly un très bon cheval. Elle calcula exactement chaque saut, que Firefly effectua d'une façon irréprochable. Il franchit également le fossé sans toucher l'eau.

A la fin du parcours, Lais, au lieu de regagner sa place, conduisit Firefly au centre du manège et le fit parader avec une précision qui arracha des cris d'admiration à l'assistance.

— Ce cheval est imbattable! proclama sir Tresham et sa cavalière aussi. Qu'en pensez-vous, Manville?

— La compétition n'est pas terminée, riposta lord Manville froidement.

Il y eut de nouveaux applaudissements lorsque Lais les rejoignit.

— Bravo!

— C'était une admirable démonstration!

— Etes-vous content de moi? demanda Lais.

Ce n'était pas sir Tresham mais lord Manville qu'elle regardait.

Il détourna les yeux.

— Allons, Candida, voyons ce dont Pégase est capable.

Candida songea qu'il faisait appel aux exploits de Pégase et non pas aux siens. Cela lui facilitait les choses. Elle n'avait plus peur de s'exposer aux critiques de ces gens, elle ne se sentait plus inti-midée par ces femmes étranges ni effrayée par sir Tresham Foxleigh.

— Du calme, souffla-t-elle à Pégase, ne t'énerve pas.

Il n'était pas besoin d'expliquer à Pégase ce qu'on attendait de lui. Il franchit chaque obstacle avec aisance et n'eut que dédain pour le fossé rempli d'eau. Il effectua le parcours deux fois avec la même élégance. Puis Candida le conduisit au milieu du manège comme Lais l'avait fait de Firefly. Elle l'incita à marcher d'un pas relevé, comme Firefly, pour montrer qu'il lui était supérieur. Puis il exécuta tous les tours qu'il avait accomplis devant le capitaine Hooper à Potters Bar et quelques autres. Il s'agenouilla sur ses antérieurs, valsa, sans que Candida eût à tirer sur les rênes ou user de son talon, comme s'il s'amusait de cette exhibition, avec la grâce d'un animal dressé avec amour et non pas cruauté.

Finalement il salua de la tête, dans toutes les directions. L'assistance ne put retenir son enthousiasme.

Candida se dirigea lentement vers elle en n'ayant d'yeux que pour une seule personne. Lorsqu'elle lut l'admiration et la satisfaction sur le visage de lord Manville, elle se rendit compte que c'était tout ce qu'elle avait désiré.

— Quel beau travail! lui dit-il à voix basse.

Les autres se bousculèrent autour d'elle, l'accablant de compliments et de questions.

— Quel beau cheval!

— D'où vient-il?

— Comment lui avez-vous appris toutes ces choses?

— Pouvez-vous nous montrer comment vous vous y prenez?

Avant qu'elle pût répondre, la voix de Lais retentit, dominant les autres.

— Je veux monter ce cheval. Voyons ce qu'il fera pour moi.

Sans attendre la réponse, elle sauta à terre et, abandonnant Firefly aux soins d'un palefrenier, elle se dirigea vers Candida, écartant les autres. Debout à côté de Pégase, elle répéta :

— Je veux le monter. Descendez et je vous montrerai de nouveaux tours.

— Non, riposta Candida à voix basse.

— Vous ne pouvez pas refuser, déclara Lais. Ce cheval n'est pas à vous.

Elle se tourna vers lord Manville.

— Vous m'avez toujours dit, Silvanus, que tous vos chevaux étaient à ma disposition. C'est le moment de tenir votre promesse. Laissez-moi monter celui-là et je vous donnerai un spectacle dont vous vous souviendrez.

— Non, répéta Candida, dont les mains se crispèrent sur les rênes.

Pégase sembla comprendre que quelque chose n'allait pas car il devint nerveux. Les spectateurs s'écartèrent prudemment, à l'exception de Lais.

— Descendez, insista-t-elle, furieuse. Vous ne m'empêcherez pas de monter l'un des chevaux de Sa Seigneurie. C'est mon droit. Vous vous imaginez que vous savez dresser les chevaux mais vous n'avez aucune expérience. Ce cheval travaillera mieux avec moi. Donnez-le-moi.

Elle lut une expression de défi sur le visage de Candida et, instinctivement, elle leva sa cravache. Il était impossible de savoir si elle avait l'intention de frapper la cavalière ou le cheval. Avec une exclamation de protestation, Candida s'écarta.

Elle poussa Pégase en avant, forçant Lais à lui céder la place et, avant que qui que ce soit pût l'arrêter, elle partit à fond de train, sautant des barrières, vers les profondeurs du parc. Elle avait incité Pégase à prendre le galop et disparut entre les arbres avant que les spectateurs se fussent rendu compte de ce qui se passait.

Il lui sembla que quelqu'un l'appelait et elle crut reconnaître la voix de lord Manville, mais elle n'avait qu'un désir, sauver Pégase, l'empêcher de subir les coups d'éperon de Lais, cette femme qu'elle détestait de toutes les fibres de son être.

9

Candida avait couvert plus d'un kilomètre lorsqu'elle entendit de nouveau une voix l'appeler. Elle tourna la tête et vit que lord Manville avait continué à la suivre et que la distance entre eux diminuait. Néanmoins il était encore assez loin d'elle.

Pourtant elle l'entendait tout en s'efforçant de l'ignorer.

— Arrêtez, Candida, c'est dangereux. Vous allez vous tuer vous et Pégase!

Ce fut ce dernier mot qui incita Candida à obéir, malgré sa répugnance, et à tirer sur les rênes. Elle eut quelque mal à ralentir l'élan de Pégase. Mais il finit par s'immobiliser. Elle se retourna, avec défi et appréhension à la fois, pour affronter lord Manville. Il se rapprocha, faisant passer son cheval du galop au trot, et se rangea à ses côtés.

— Il y a des carrières droit devant vous, expliqua-t-il. On ne les voit pas et si vous y étiez tombée, c'en était fait de vous et de votre cheval.

Il parlait d'un ton apaisant, mais Candida riposta avec passion :

— Je préférerais nous voir morts tous les deux plutôt que de permettre à cette mégère de monter Pégase. C'est un monstre de cruauté, m'entendez-vous? Elle utilise son éperon non seulement pour se faire obéir mais parce qu'elle y prend plaisir.

— Écoutez, Candida...

Elle lui coupa la parole avec emportement, les yeux étincelants, le corps frémissant d'une émotion irrépressible.

— J'ai vu Firefly quand elle l'a ramené aux écuries, non pas une fois, mais à plusieurs reprises. Il avait le flanc labouré! J'ai aidé à le soigner, en détestant du fond du cœur une cavalière capable de traiter un cheval avec une telle brutalité.

— Je comprends que...

— Cela peut vous paraître amusant, à vous et à vos amis, d'applaudir les talents équestres des femmes qui s'exhibent à Hyde Park ou dans les manèges. Mais n'avez-vous jamais pensé à la souffrance dont elles sont cause lorsqu'elles se servent de leurs éperons pour punir un animal jusqu'à ce qu'il leur obéisse parce qu'il a peur? Et même lorsqu'il est docile, elles continuent à le martyriser sans raison. Je vous dis que c'est de la cruauté et je ne veux pas y avoir de part.

Elle s'interrompit, puis conclut d'une voix basse et brisée :

— Je ne supporterais même pas l'idée que Pégase puisse subir un tel traitement.

Sa colère était épuisée et elle était au bord des larmes. Elle baissa la tête. Son chignon s'était défait pendant sa fuite et ses cheveux se déroulèrent, tombant sur ses épaules.

— Je vous jure, dit lord Manville d'un ton grave, que Laïs ne montera jamais Pégase.

Candida redressa la tête.

— Ni aucune autre femme comme elle?

— Je vous le promets.

Il vit l'expression de soulagement de son visage. Maintenant que la tension s'était dissipée, elle semblait prête à s'effondrer.

— Il fait très chaud, remarqua-t-il. Laissons les chevaux se reposer et asseyons-nous un moment à l'ombre.

Il lui montra, à une cinquantaine de mètres, un

boqueteau de bouleaux aux troncs argentés. Le vert pâle des feuilles printanières était particulièrement lumineux dans le soleil dont les rayons jouaient sur les primevères et les violettes du sous-bois.

Sans mot dire, Candida suivit lord Manville. Lorsqu'elle atteignit l'ombre des arbres, elle se laissa glisser à terre, jeta les rênes sur le pommeau de la selle et, après avoir caressé Pégase, elle s'enfonça sous les frondaisons. Lord Manville qui avait aussi mis pied à terre se demanda s'il oserait laisser Tonnerre en liberté.

Il risquait de ne pas pouvoir le rattraper. Mais il espérait que les deux chevaux demeureraient ensemble et, après avoir noué les rênes pour éviter qu'elles ne se prennent dans les pieds du cheval, il suivit Candida.

Le terrain était en pente et il y avait à l'abri des arbres un talus qui constituait un banc naturel. Des violettes blanches et mauves pointaient entre les feuilles. Candida s'assit avec précaution comme pour ne pas les écraser.

Puis, comme elle avait chaud, elle enleva sa veste et la jeta par terre à ses pieds.

Elle portait un chemisier blanc incrusté de dentelle. Instinctivement, elle leva les bras pour rajuster sa coiffure. Elle avait perdu son chapeau. Son geste provoqua la chute des dernières épingles qui retenaient ses cheveux. Ils se répandirent en un flot doré sur ses épaules, lui tombant jusqu'à la taille.

Elle tenta nerveusement de les tordre pour les attacher d'une façon quelconque. Lord Manville lui prit les mains pour l'en empêcher.

— Ne touchez pas à vos cheveux, implora-t-il. Vous n'imaginez pas à quel point j'ai souhaité les voir ainsi.

Elle le regarda avec étonnement. Le contact de ses mains la bouleversait, sans qu'elle sût pourquoi.

162

— Je vous dois des excuses, balbutia-t-elle..

Ses yeux avaient perdu leur éclat. Elle manifestait une humilité anxieuse qui était infiniment pathétique.

— Non, vous avez eu raison. C'est moi qui suis impardonnable de n'être pas intervenu.

— Vous comprenez donc mon souci au sujet de Pégase?

— Mais bien sûr. Je ne voudrais pas que Tonnerre ni aucun autre de mes chevaux soit traité de cette façon. J'ai toujours pensé que l'éperon était nécessaire lorsqu'on montait en amazone mais vous m'avez démontré le contraire.

Un sourire illumina le visage de Candida. Elle se rendit compte qu'il tenait toujours ses mains et qu'il était très près d'elle. Elle tenta de se libérer.

— Il faut que je me recoiffe, murmura-t-elle.

— Et pourquoi donc? Vous ne vous rendez pas compte à quel point vous êtes exquise.

Il y avait une intonation dans sa voix qui lui fit battre le cœur. Elle était incapable de bouger.

— Candida, dit lord Manville d'une voix émue, que nous est-il arrivé?

Candida se sentait incapable de répondre. Au bout d'un moment, il reprit :

— Pourquoi refusez-vous de me regarder? Est-ce que je vous fais encore peur?

— Non, pas vraiment, chuchota-t-elle en se forçant à lever les yeux.

Le visage de lord Manville était très proche du sien. Il mit le bras autour de ses épaules et la sentit trembler. Puis il posa ses lèvres sur les siennes. Il n'aurait pas cru que des lèvres de femme fussent si douces, si tendrement consentantes. Puis, avec un cri étouffé, elle détourna la tête.

— Pourquoi vous détournez-vous de moi? demanda-t-il d'une voix frémissante. Etes-vous encore en colère contre moi?

— Non, ce n'est pas cela.

— Mais alors? Il ne se peut pas que je vous fasse encore peur.

Elle secoua la tête.

— C'est plutôt de moi-même que j'ai peur.

— Mais pourquoi, ma chérie? Je ne comprends pas.

— Vous m'inspirez un sentiment étrange. Je ne peux pas l'expliquer, mais, lorsque je suis aussi près de vous, la respiration me manque, et, pourtant, c'est merveilleux.

— Oh, mon amour!

Il lui prit la main et la couvrit de baisers.

— Que vous disiez cela me touche plus que je ne peux l'exprimer. Ne comprenez-vous pas, ma chérie, que ceci devait arriver? Je l'ai su à l'instant où je vous ai vue sur le perron de Mme Clinton dans votre robe rose, si frêle, si absurdement jeune.

— J'étais très effrayée.

— Je m'en suis rendu compte. Vos yeux sont très expressifs, Candida. Pourquoi, lorsque je vous ai dit que je souhaitais que vous changiez les idées à Adrian, avez-vous paru soulagée? Vous n'imaginez pas à quel point j'en ai été préoccupé. Pourquoi cette réaction?

— Vous étiez un homme si impressionnant, si important, que j'avais peur de vous décevoir.

— Oh, mon amour, mais je n'ai jamais vu de femme aussi captivante, aussi fascinante que vous. Candida, nous allons être très heureux ensemble. Il y a tant de choses que je voudrais vous montrer et vous apprendre. Quand vous êtes-vous aperçue pour la première fois que vous m'aimiez? Dites-le-moi, il faut que je le sache!

Il y avait en lui une autorité virile qui était irrésistible.

— Ce n'est que maintenant que je m'en suis rendu compte. Mais j'avais toujours envie de me trouver en votre compagnie. Quand vous n'étiez pas là, la maison me semblait vide, comme morte.

Lord Manville eut un sourire qui exprimait une parfaite béatitude. Puis, l'attirant à lui, il prit son menton délicat de sa main libre et le tourna vers lui. Cette fois, elle ne résista pas. Son baiser devint plus intense, plus possessif, mais elle n'en éprouva aucune crainte.

Elle sentait une flamme s'éveiller en elle, qui embrasait tout son corps. Elle n'avait plus conscience que du contact de ses lèvres, de sa proximité et d'une félicité plus éblouissante que le soleil.

Elle avait l'impression que le gazouillis des oiseaux se transformait en musique sublime célébrant la beauté et l'extase célestes qui les transfiguraient et elle frémissait non pas de peur mais d'une émotion à la limite du supportable.

Candida avait perdu toute notion du temps; lorsqu'ils se séparèrent elle balbutia :

— Il faut que vous retourniez rejoindre vos invités. Ils vont se demander ce qui est arrivé.

— Vous m'accompagnez?

Elle se dit qu'elle n'avait jamais vu un homme aussi heureux.

— Bien sûr, si vous le souhaitez.

— Si je le souhaite!

Il retourna ses mains et couvrit ses paumes de baisers.

— Vous tenez mon cœur dans le creux de ces petites mains. Venez, chérie, il nous faut avoir du courage et affronter les autres. Qu'importe ce qu'ils pensent?

— Ils resteront pour le dîner?

— J'en ai peur. Je ne peux pas les renvoyer alors qu'ils m'ont demandé l'hospitalité et que tout est arrangé. Ils partiront ensuite et nous serons de nouveau seuls, mais, cette fois, ce sera différent.

— Très différent, confirma Candida avec douceur.

Elle chercha parmi les violettes un certain nombre d'épingles à cheveux et rajusta son chignon tant bien que mal. Lord Manville l'aida à enfiler sa veste et déposa un baiser sur sa joue. Puis, de nouveau, ses lèvres se posèrent sur sa bouche.

— Ce bois, désormais, nous appartient à nous. Je ne savais pas qu'il y avait un lieu enchanté dans ma propriété. Est-il réel, ou est-ce vous qui m'avez envoûté et fait croire qu'il n'y a pas d'autre bois analogue à celui-ci?

Candida se retourna pour regarder le talus, les rayons de soleil qui traversaient le feuillage, les ombres bleutées, l'or des primevères, les violettes blanches et mauves.

— C'est bien un bois enchanté.

Il l'embrassa de nouveau.

— Vous me faites perdre la tête, Candida. Je suis ivre de votre beauté, de votre douceur, de la saveur de vos lèvres. Je suis comme un homme qui a bu le nectar des dieux et ne sera plus jamais tout à fait normal.

— Moi aussi, je ressens cela, avoua Candida.

Ils se dirigèrent vers les chevaux la main dans la main.

Pégase arriva sitôt que Candida l'appela. Tonnerre, tout en montrant moins d'obéissance, se laissa approcher sans bouger. Ils retournèrent au château le plus lentement possible, comme s'ils ne pouvaient se résoudre à renoncer à leur solitude.

Ils aperçurent enfin le château. Des palefreniers les attendaient au pied du perron.

— Je vais monter dans ma chambre, dit Candida.

— Descendez avant l'heure du dîner, pria lord Manville. Je voudrais vous parler en tête à tête avant que les autres arrivent.

— J'essaierai.

Lorsqu'elle arriva dans sa chambre, elle se rendit compte qu'il était plus tard qu'elle ne l'avait cru. Une fois qu'elle eut pris son bain et que la femme de chambre l'eut coiffée, elle se rendit compte que lord Manville et elle n'auraient guère de temps à eux.

Tout en brûlant d'impatience de le rejoindre, elle voulait être à son avantage.

Elle choisit la robe qu'elle préférait parmi celles que Mme Clinton lui avait achetées. Elle était blanche et avait une jupe à crinoline en mousseline froncée semée de perce-neige.

Candida songea que rien n'était plus approprié. Les fleurs printanières rappelleraient à lord Manville, lorsqu'il la verrait, leur bois enchanté. Un bouquet de perce-neige ornait son décolleté, à demi caché dans les plis du fichu de mousseline qui ne voilait que partiellement ses épaules.

— Vous êtes exquise, mademoiselle. On dirait une jeune mariée! s'exclama la femme de chambre.

Candida sourit à son image dans la glace. Bientôt tous connaîtraient son secret. Dans l'immédiat, elle devait se taire.

— Je vous remercie.

— De toutes les jeunes femmes qui sont venues dans cette maison, vous êtes la plus belle, et on ne trouve pas souvent quelqu'un qui est aussi aimable que vous l'êtes avec nous.

— Manville Park est une demeure merveilleuse. Personne ne devrait en gâter la beauté.

C'était à Lais qu'elle pensait. Elle était convaincue que c'était la dernière fois qu'elle était obligée de subir la présence de cette femme cruelle et antipathique. Elle aurait eu peur de devoir l'affronter de nouveau si elle n'avait pas su que lord Manville serait là et qu'ils s'aimaient.

Elle avait du mal à prendre conscience de la réalité de ce qui était arrivé pendant l'après-midi. Il l'avait tenue dans ses bras et il l'avait embrassée. Elle s'était souvent demandé ce qu'on éprouvait lorsqu'un homme vous embrassait. Maintenant, elle savait. Elle se rappelait comment ses lèvres s'étaient posées sur les siennes d'abord avec douceur, puis d'une façon plus insistante et possessive.

C'était comme s'il avait aspiré son cœur entre ses lèvres pour le garder par-devers lui. C'était l'image exacte. Elle lui avait donné son cœur pour toujours. Il lui appartenait et elle faisait partie de lui. Ils n'étaient plus qu'une seule personne pour l'éternité.

Maintenant, elle comprenait ce que sa mère avait ressenti et pourquoi rien n'avait pu l'empêcher d'épouser son père afin de vivre avec lui. C'était ainsi qu'ils s'étaient aimés. Candida était convaincue que si elle avait dû faire le même choix, elle aussi eût quitté son foyer et tout ce qui lui avait été familier pour suivre lord Manville, même s'il avait été pauvre, jusqu'au bout du monde.

Qu'importaient l'argent et la position sociale comparés à l'extase qui la faisait frémir chaque fois qu'il la touchait et au bouleversement que provoquaient en elle son regard et l'intonation de sa voix.

« Je l'aime, je l'aime », se répétait-elle en elle-même et elle avait l'impression que son reflet dans la glace en était transfiguré.

L'expression d'anxiété et d'incertitude qu'elle avait eue depuis la mort de son père avait disparu. Elle avait l'air de quelqu'un qui venait de naître à la vie, lèvres entrouvertes, yeux brillants. Elle eut du mal à se reconnaître elle-même. Elle comprit que l'amour transformait une femme.

— Vous voilà prête, dit la femme de chambre en achevant d'agrafer le corsage étroitement ajusté.

— Je vous remercie.

— Encore un instant, je viens de trouver deux bouquets de perce-neige pour vos cheveux.

— C'est vrai, je les avais oubliés.

— Je les ai trouvés avec les chaussures assorties à votre robe. Je vais les fixer des deux côtés de votre chignon. Ce sera très seyant.

— C'est une bonne idée, mais dépêchez-vous, il se fait tard.

Quelques minutes plus tard, elle descendait hâtivement l'escalier. Elle se rendit compte avec consternation qu'il était presque l'heure de dîner et qu'elle n'avait guère de chance de trouver lord Manville seul.

Pourtant, lorsqu'elle entra dans le salon où les invités devaient se rassembler, il l'y attendait, incroyablement élégant dans son habit du soir, le plastron orné uniquement de deux énormes perles noires serties de diamants.

Elle demeura un instant immobile sur le seuil, puis courut vers lui. Lord Manville songea qu'il n'avait jamais vu une femme avoir une expression aussi rayonnante et chaleureuse.

Il la prit dans ses bras.

— J'ai cru que vous ne viendriez jamais. Chaque instant me semblait interminable.

— Je me suis dépêchée, mais je voulais être belle pour vous plaire.

— Vous l'êtes, dit-il, embrassant ses paupières. Vous êtes si belle que je ne peux pas me retenir de vous embrasser.

— Non, non, supplia-t-elle. Quelqu'un pourrait nous surprendre.

— Avez-vous si peur de l'opinion des autres ?

— Ce n'est pas cela. Mais je ne voudrais pas qu'ils sachent, pour le moment.

Il lui sourit comme on sourirait à une enfant.

— Ce sera notre secret, promit-il.

— Seulement jusqu'à ce qu'ils partent. Je ne pourrais pas supporter que ces gens fassent des commentaires sur notre amour et le tournent en dérision.

— Je vous comprends.

— Je pensais à autre chose. J'espère que vous ne me trouverez pas stupide. Pourrions-nous nous marier dans l'intimité, dans une petite église, sans qu'il y ait une foule de curieux pour nous dévisager ?

Elle n'avait pas terminé de parler qu'elle sentit qu'il se raidissait. Elle se rendit compte qu'elle l'avait contrarié. Elle le regarda d'un air interrogateur et ce qu'elle lut dans ses yeux lui glaça le cœur.

— Ah vous voilà, Silvanus! s'exclama gaiement une voix féminine. Où vous cachiez-vous? Vous êtes le plus mauvais hôte de toute l'Angleterre.

C'était Lais, accompagnée de plusieurs de ses amies. Elle était trop habile pour faire une scène, mais il y avait de la haine dans le regard qu'elle jeta à Candida, même si son sourire et son intonation masquaient son ressentiment.

Candida ne le remarqua pas. Elle s'était écartée de lord Manville comme s'il l'avait giflée. Le désarroi la plongeait dans un état de transes. Elle n'entendait ni le brouhaha des voix féminines ni les compliments que lui faisaient les hommes qui les avaient rejoints.

Elle avait l'impression d'être plongée dans un monde de ténèbres oppressantes qui l'empêchaient de respirer.

Puis Adrian surgit à côté d'elle et lui expliqua avec animation qu'il avait passé l'après-midi à écrire de la poésie. Elle s'efforça de l'écouter. Il lui semblait qu'il était le seul à parler un langage intelligible. Les autres, elle ne les comprenait pas.

— Dites-moi ce que vous avez écrit, dit-elle d'une voix qui lui sembla lointaine, comme étouffée par un brouillard.

Elle fut reconnaissante à la providence d'être placée à côté d'Adrian pendant le dîner.

Il finit par lui demander :

— Etes-vous malade? Vous avez un air bizarre et vous ne mangez rien.

— Je n'ai pas faim. Parlez-moi de votre poème.

— L'idée m'en est venue subitement. J'avais hâte de le mettre sur papier. C'est pourquoi je me suis éclipsé après le déjeuner. Il ne vous est rien arrivé de fâcheux, j'espère?

— Non, tout va très bien.

Elle se demanda si ce qui s'était passé dans le bois enchanté était réel ou si elle l'avait rêvé. Que lui arrivait-il maintenant? Elle avait envie de crier, de supplier lord Manville de dissiper les ténèbres qui l'enveloppaient.

Il était assis à l'autre bout de la table, une jolie femme de chaque côté, avec lesquelles il parlait en riant. Le bruit des voix ne cessait de s'amplifier.

Candida ne se rendait pas compte que les hommes buvaient beaucoup, que le rire des femmes devenait plus provocant, les plaisanteries plus grossièrement libertines. Elle n'entendait pas ou ne comprenait pas ce qui se disait.

Adrian parlait toujours et il était sa bouée de sauvetage. Elle se forçait à suivre ce qu'il disait, d'en saisir le sens et d'y trouver une réponse.

Elle y réussit apparemment. Lorsqu'ils se levèrent de table, elle lui demanda à voix basse :

— Croyez-vous que je puisse aller me coucher?

— Pas encore, conseilla-t-il. Mon tuteur serait irrité de vous voir vous éclipser trop tôt. Attendez, et je vous dirai le bon moment.

— Je vous en serais reconnaissante.

Candida pensa que les femmes se retireraient seules dans le salon mais Lais déclara :

— Vous n'allez pas rester ici tout seuls à vous enivrer. L'orchestre est arrivé, je l'entends. Et les tables de jeu nous attendent. Venez, Silvanus, emportez votre porto au salon. J'espère qu'on a prévu du champagne pour nous autres faibles créatures. J'ai l'impression que nous en aurons besoin.

Les hommes avaient suivi en riant les femmes au salon. Les domestiques avaient roulé le tapis. Un orchestre de six musiciens jouait une polka endiablée.

— Voulez-vous danser? demanda Adrian à Candida.

Elle ne put s'empêcher de regarder du côté de lord Manville. Mais Lais avait posé la main sur son épaule et il la tenait enlacée.

— Non, murmura-t-elle.

— Dans ce cas, installons-nous tranquillement sur le sofa. Je n'ai pas d'argent à perdre au jeu et je déteste ces danses bruyantes.

— Moi aussi, dit Candida, qui éprouvait une soudaine répulsion à la vue des crinolines qui tressautaient, des visages échauffés et de l'exubérance de ceux qui dansaient.

Sir Tresham Foxleigh l'évitait apparemment. Il n'avait fait aucune tentative pour lui parler avant le dîner et elle avait remarqué que, dans la salle à manger, il s'était délibérément installé loin d'elle.

Elle lui était reconnaissante de cette discrétion. Elle n'aurait pu cacher l'antipathie qu'il lui inspirait s'il avait recherché sa compagnie.

Elle demeura un moment assise à côté d'Adrian sur le sofa. Après la première danse, lord Manville s'était dirigé vers les tables de jeu, où ses invités jetaient des pièces d'or comme si c'était de la menue monnaie.

— Je peux sûrement partir maintenant? insista Candida.

— Vous allez l'irriter, objecta Adrian.

— Mais il est déjà tard, protesta-t-elle avec désespoir. Nous sommes restés un temps infini à table.

— Je sais, c'est toujours pareil. Ils ont envie de s'empiffrer et de boire jusqu'à l'abrutissement. Ça ne m'a jamais amusé.

— Vous rendez-vous compte qu'il est presque 1 heure du matin? dit Candida en regardant la pendule de la cheminée. Combien de temps dure une soirée de ce genre?

— Jusqu'à 3 ou 4 heures du matin, j'en ai peur, soupira Adrian.

— Je ne pourrai pas le supporter!

Candida vit Lais quitter la piste de danse où

elle venait de valser avec sir Tresham Foxleigh et
se diriger vers lord Manville. Elle se haussa sur la
pointe des pieds pour lui parler à l'oreille et lui
montra une des portes-fenêtres qui donnaient sur
le jardin. Il semblait n'avoir aucune envie de l'accompagner, mais elle insistait, le tirant par le
bras. Candida se leva.

— Je vais me coucher, déclara-t-elle d'un ton
résolu.

Elle ne pouvait en supporter davantage.

— J'en ferai autant d'ici une minute. Il vaut
mieux qu'on ne nous voie pas partir ensemble.
Vous connaissez ces gens.

Candida ne comprit pas le sous-entendu. Elle
n'avait qu'un désir, se retrouver seule. Elle franchissait la porte du salon lorsqu'une voix retentit
derrière elle.

— Mademoiselle Candida, pouvez-vous m'accorder un instant?

C'était sir Tresham Foxleigh.

— Non, riposta-t-elle sentant qu'une conversation avec cet horrible individu serait le coup de
grâce.

— Je vous en prie. Je voulais vous demander
un service. Mon cocher vient de me dire qu'un de
mes chevaux semble souffrir considérablement. Il
ne sait pas à quoi l'attribuer. Voudriez-vous avoir
la bonté d'y jeter un coup d'œil?

— Non, c'est impossible, je ne peux pas, répondit Candida en ayant à peine conscience de ce
qu'elle disait.

— Cela ne vous ressemble pas, mademoiselle
Candida. Comme je l'ai dit, l'animal souffre, et
bien que mon cocher ait de l'expérience, il ne sait
pas quoi faire. Je ne voudrais pas importuner
lord Manville en lui demandant de me prêter un
de ses chevaux si je peux l'éviter. Mais il serait
cruel d'obliger cet animal à retourner jusqu'à ma
propriété s'il n'est pas en état de le faire.

— En effet, admit Candida.

— Dans ce cas, venez à mon aide. Cela ne vous prendra pas plus d'une minute. La voiture attend devant le perron car j'avais l'intention de partir de bonne heure.

— Elle attend devant le perron? répéta machinalement Candida s'efforçant de se ressaisir et de comprendre ce qu'il lui expliquait. Mais elle n'avait qu'un désir, se réfugier dans sa chambre.

— Oui, le cheval dont je vous parle est dans la cour.

Il lui prit le bras, s'efforçant de l'entraîner vers la porte d'entrée.

— Je sais que vous aimez les animaux. Il serait cruel de le faire souffrir alors qu'on peut l'éviter. Venez y jeter un coup d'œil. C'est l'un des meilleurs sujets de mon écurie.

— Soit, dit Candida.

« Il n'y en a que pour une minute », songea-t-elle tout en se demandant ce que pouvait avoir l'animal qu'un cocher ne pût diagnostiquer.

La voiture était au pied du perron. C'était une calèche fermée, tirée par deux chevaux, avec un cocher et un valet. Candida se dirigea vers l'animal le plus proche. Mais sir Tresham l'arrêta.

— C'est l'autre cheval.

Candida fit le tour de la calèche, qui la masqua à ceux qui se trouvaient dans la maison. Le valet avait ouvert la portière comme s'il attendait que son maître montât en voiture et partît.

Candida fit un mouvement pour le contourner mais, alors qu'elle arrivait à hauteur de la portière ouverte, sir Tresham la saisit à bras-le-corps et la jeta dans la voiture.

Elle cria d'horreur et de surprise, mais, alors même qu'elle tombait sur la banquette, une main se posa sur sa bouche, étouffant ses cris. Elle eut beau se débattre, elle entendit la portière se fermer. La voiture s'ébranla.

On l'enlevait! Malgré ses efforts pour se libérer, sir Tresham Foxleigh maintint sa main sur sa bouche tant qu'ils furent à portée de voix du château.

— Que faites-vous? Comment osez-vous? protesta-t-elle sitôt qu'elle eut retrouvé l'usage de la parole.

Il se contenta de rire.

— Apprenez, ma tourterelle, que j'obtiens toujours ce que je veux. Je vous ai désirée dès l'instant où je vous ai vue et, aujourd'hui, je vous tiens.

— Vous êtes fou! s'exclama Candida.

Elle se pencha pour frapper à la vitre.

— Arrêtez! Au secours!

Il rit de nouveau.

— Mes domestiques ne vous écouteront pas. Il ne leur viendrait pas à l'idée qu'une femme puisse ne pas être ravie d'avoir retenu mon attention.

— Où m'emmenez-vous? Il faut que vous ayez perdu la raison pour agir ainsi. Vous savez bien que je refuse d'avoir quelque rapport que ce soit avec vous.

— Vous n'avez guère le choix. Finissons-en avec ces bêtises. Je serai généreux envers vous, je vous l'ai déjà dit. Vous m'attirez plus qu'aucune femme ne l'a fait, et ce que je veux, je le prends.

— Lord Manville ne tolérera pas que vous me traitiez ainsi.

— Il ne s'apercevra de votre disparition que demain matin, et j'ai l'impression, ma chère Candida, que, n'ayant aucune sympathie pour moi, lord Manville n'éprouvera plus aucun intérêt pour vous demain matin.

L'intérieur de la calèche était éclairé par une lanterne qui permettait à Candida de voir le visage de sir Tresham. Avec un pathétique effort de dignité, elle dit :

— Si je comprends bien ce que vous voulez dire, je ne puis que vous demander d'agir en gentleman et de me rendre ma liberté. Je ne vous aime pas. Vous me répugnez. C'est une raison suffisante pour que vous cessiez de désirer ma compagnie.

— Au contraire. Une femme trop complaisante est ennuyeuse. Je prendrai plaisir à briser votre volonté tout autant que vous prenez plaisir à dresser vos chevaux. J'aime que les femmes aient du caractère. Elles n'en sont que plus agréables à caresser une fois qu'elles ont compris que je suis le maître.

Tout en parlant, il s'efforça d'attirer Candida à lui. A son contact, elle fut prise de panique et se débattit en criant. Mais elle se rendait compte que cela ne servait à rien, qu'elle était à sa merci. Il la serrait implacablement contre lui et l'obligea à tourner la tête, cherchant ses lèvres. Dans un sursaut, elle réussit l'espace d'un instant à échapper à son étreinte et le griffa. Puis elle entendit sa robe se déchirer.

D'horreur et de désespoir, elle crut qu'elle allait se trouver mal. Ce fut un trait de lumière. Elle cessa de se défendre. Sir Tresham cherchait brutalement à lui caresser les seins. Elle dit d'une voix faible :

— J'ai peur de m'évanouir. Voudriez-vous baisser la glace?

— Pourquoi pas? Il fait terriblement chaud.

Il la lâcha une seconde afin de se pencher pour baisser la glace. Candida en profita. Elle saisit la poignée de la portière qui se trouvait de son côté et se jeta hors de la calèche. Sir Tresham jura. Il tenta de saisir sa crinoline, mais le tissu se déchira.

Candida tomba avec fracas, s'assommant à moitié. Puis elle roula sur une pente abrupte. Seule sa volumineuse crinoline la protégea de blessures graves. Finalement elle s'immobilisa, retenue par les branches d'un rhododendron.

Pendant un moment, elle demeura à demi inconsciente, incapable de bouger. Puis elle entendit sir Tresham crier un ordre à son cocher qui arrêta la voiture.

Elle ne pouvait pas rester là, sinon ils la trouveraient. Se redressant péniblement, elle se mit à courir dans l'obscurité, s'écorchant contre les buissons, se heurtant contre les arbres, tombant, se relevant, dans une fuite éperdue.

Elle s'arrêta un instant pour reprendre son souffle et se retourna. Elle vit des lumières. Sir Tresham et ses domestiques la cherchaient. Sir Tresham cria :

— Candida, ne soyez pas stupide! Revenez!

Après avoir attendu vainement une réponse, il hurla à l'adresse de ses domestiques :

— Trouvez-la, espèce d'imbéciles. Elle ne peut pas être loin. Fouillez le bois.

Candida reprit sa course. Les branches lui fouettaient les joues et s'accrochaient dans ses cheveux qui se répandirent sur ses épaules. Mais elle continuait de courir.

Soudain, le sol manqua sous ses pieds et elle tomba la tête la première dans un fossé.

Elle perdit conscience pendant un moment. Lorsqu'elle rouvrit les yeux, elle aperçut les étoiles et entendit le bruissement des feuilles. Elle était incapable d'aller plus loin. Son cœur battait à se rompre, son souffle était haletant, et la peur la pétrifiait.

Elle tendit l'oreille. Si sir Tresham l'avait trouvée en cet instant, elle n'aurait pas eu la force de lui résister. Mais tout était silencieux. Au bout d'un moment, elle se hissa hors du fossé.

La lune en était à son premier quartier. Elle crut entrevoir au loin une allée. Elle n'y vit pas de lumière. La calèche était partie.

Elle s'assit et posa la tête sur ses genoux. Elle n'avait plus la force de pleurer. Elle n'était mue que par l'instinct animal de trouver un abri. Il fallait retourner à Manville Park.

Lentement, péniblement, elle sortit du sous-bois. Tout son corps était endolori. Puis elle vit les lumières de la maison droit devant elle. Elle avait dû courir en travers du parc parallèlement au château. Il ne lui restait qu'à le regagner par la direction opposée à celle qu'avait prise la voiture de sir Tresham.

Néanmoins, le chemin était terriblement long. Mais du moins, au château, elle serait à l'abri de sir Tresham. Son souvenir l'effrayait au point qu'elle retrouva une certaine énergie. Mais elle était trop épuisée pour avancer rapidement.

Au bout d'un moment, elle fut obligée de s'asseoir. Elle regarda la maison avec désespoir. Puis elle pensa à lord Manville et se rendit compte que la seule chose qui importait était de le retrouver. Bien qu'elle eût l'impression que cela remontait à un lointain passé, il l'avait tenue dans ses bras.

Elle se remémora tout ce qu'il lui avait dit et le contact de ses lèvres. Il lui sembla qu'elle avait été absurde de s'être tellement tourmentée pendant le dîner et la suite de la soirée. Ne l'avait-il pas attendue dans le salon, en affirmant que chaque minute lui avait paru interminable?

« Il faut que j'aille le rejoindre », songea-t-elle, et, en même temps, elle avait envie de rester là à évoquer ses souvenirs, pour revivre l'extase qu'elle avait éprouvée dans le bois enchanté.

Un vent froid et humide, venant du lac, la fit frissonner. Elle ne pouvait pas demeurer là, au risque de s'endormir. Il fallait regagner la maison.

Lentement, avec une infinie lassitude, elle se releva. Chaque contusion, chaque écorchure, commençaient à lui faire mal. Pour comble de malheur, elle avait perdu une chaussure.

10

Lais avait entraîné lord Manville vers une des portes-fenêtres.

— Venez jeter un coup d'œil. Je suis certaine qu'un rôdeur essaie de s'introduire dans la maison, avait-elle dit.

— Quelle sottise! Aucun voleur ne se risquerait à s'introduire dans une maison aussi brillamment illuminée et pleine de monde.

— Mais je l'ai vu. Il avait l'air bizarre et manifestement dangereux!

Conciliant, lord Manville s'était dirigé vers la terrasse. La nuit était tiède et le ciel constellé d'étoiles. Mais il était difficile de distinguer le jardin en raison de la lumière éblouissante qui venait des fenêtres.

— Il était par là, avait déclaré Lais, appuyée contre la balustrade, en désignant un massif d'arbustes au delà de la roseraie.

— Je ne vois personne, avait répliqué lord Manville.

— Il s'est dissimulé en nous voyant arriver.

Lais descendit les marches.

— Venez inspecter le jardin, avait-elle insisté. Je vous assure que j'ai peur pour votre argenterie.

— Vous êtes victime de votre imagination.

Néanmoins, lord Manville l'avait suivie jusque dans la roseraie où il y avait un cadran solaire. Il avait regardé autour de lui.

— Eh bien, où est votre homme?

— Il s'est probablement sauvé. Mais peu importe. Nous voilà enfin seuls.

— Ainsi, ce n'était qu'un prétexte pour m'attirer dehors?

— Non, j'ai vraiment vu quelqu'un. Mais cette nuit est merveilleuse.

Tout en parlant, elle avait mis les bras autour du cou de lord Manville. Cependant il ne l'attira pas à lui et dit :

— Moi aussi, j'avais envie de vous parler, Lais, mais je n'aurais pas choisi ce moment.

— Pourquoi parler? Embrassez-moi, Silvanus. Il y a si longtemps que vous ne m'avez pas embrassée.

Lord Manville leva les mains dans l'intention de détacher les bras de Lais de son cou lorsqu'une voix cria :

— Apparemment, nous sommes de trop!

Lais et lord Manville se retournèrent et virent le capitaine Willoughby qui émergeait du parc avec Dora suspendue à son bras. Leur tenue était plutôt débraillée. Le chignon de Dora était à moitié défait et son décolleté en désordre. L'élégant col pointu et la cravate volumineuse du capitaine Willoughby étaient irrémédiablement chiffonnés.

— En effet, riposta Lais froidement. Vous nous dérangez. Vous auriez pu avoir le tact de vous en rendre compte.

— Dans ce cas, nous nous retirons immédiatement dans la maison. Nous savons quand nous sommes indésirables, répliqua le capitaine Willoughby.

— Nous vous accompagnons, intervint lord Manville. J'ai envie de me mesurer avec vous aux cartes, Willoughby.

— Cela fait un moment que nous n'avons pas

joué ensemble. La dernière fois, si ma mémoire ne me trompe pas, vous avez gagné. Il en résulte que je ne désire pas particulièrement vous affronter de nouveau.

— Pourquoi la chance n'aurait-elle pas changé de camp?

— Peut-être avez-vous raison. Bien qu'on prétende que ceux qui sont heureux en amour sont malheureux au jeu.

Il avait jeté un coup d'œil à Dora qui répondit par un rire aigu. Lord Manville fronça les sourcils et pressa le pas. Lais posa la main sur son bras :

— Attendez, Silvanus, je voudrais vous parler.

— Pas maintenant. Je me dois à mes invités. Je suis sûr que, même vous, vous le comprenez.

Il y avait une dureté dans le ton qui irrita Lais. Un éclair brilla dans ses yeux et sa bouche se durcit. Elle avait un caractère emporté et lord Manville la mettait à rude épreuve. Mais elle avait trop de bon sens pour laisser paraître sa colère. Arrivée dans le salon, elle tendit la main avec une affectation de gaminerie en disant :

— Soyez mon banquier. Vous et le capitaine Willoughby n'êtes pas les seuls à avoir envie de tenter votre chance.

Lord Manville lui donna toutes les guinées qu'il avait sur lui puis se retourna, cherchant Candida des yeux. Ne la voyant pas, il pensa qu'elle avait été se coucher. Il avait remarqué qu'elle paraissait mal à l'aise pendant le dîner et désorientée parmi ces gens qui plaisantaient bruyamment, sans aucune vergogne.

Il regrettait de n'avoir pas été lui tenir compagnie, comme il l'avait désiré, sitôt qu'ils avaient quitté la salle à manger. Mais il craignait que, s'il lui manifestait trop d'attention, Lais ne fît une scène. Il savait qu'il lui faudrait donner congé à sa maîtresse. Ce n'était jamais agréable, et le moment lui semblait mal choisi.

— Allons, Manville, je vous attends! cria le ca-

pitaine Willoughby, déjà installé à une table de
jeu.

Lord Manville prit les cartes avec un soupir de
soulagement à l'idée de pouvoir s'occuper d'autres
choses que de caprices féminins.

A sa surprise, alors que le jeu avait à peine
commencé, Lais vint le prévenir que ses invités
s'en allaient. Déjà les voitures du duc de Dorset
et du comte de Feston étaient parties, avec Nelly,
Laurette, Phyllis et Mary Ann.

— Ils m'ont chargé de vous faire leurs adieux.
Ils ne voulaient pas vous déranger en cours de
partie par peur de contrarier la chance.

— Il a une chance de tous les diables! s'exclama le capitaine Willoughby. Je vous dois presque mille guinées, Manville.

— Dans ce cas, il est temps d'arrêter la partie.
Mais je suis à votre disposition pour une revanche.

— C'est sans rancune. Je me suis bien amusé.
Vous verra-t-on à Londres cette semaine?

— Je ne sais pas encore.

— Silvanus! s'exclama Lais avec reproche.

Mais lord Manville avait déjà quitté le salon. Il
entendit le bruit d'une voiture qui s'éloignait.

— Me voilà seul pour escorter ces deux ravis-
santes créatures, remarqua le capitaine Willoughby tandis qu'un valet l'aidait à enfiler son
manteau et que Lais et Dora s'enveloppaient de
capes bordées de marabout.

Il ajouta :

— Vous devriez nous accompagner, Manville.

— Non, merci. Je n'ai pas mis les pieds dans
cette propriété depuis que Foxleigh l'a achetée il
y a huit ans, et je n'ai pas l'intention de le faire.

— Vous avez bien raison, remarqua le capitaine. Bonsoir, et encore une fois merci.

— Bonsoir.

Lord Manville avait tendu la main à Dora, mais
elle se jeta à son cou et l'embrassa sur les deux
joues.

182

— J'ai passé une journée merveilleuse, déclara-t-elle avec enthousiasme. Mais j'aurais voulu gagner la compétition. Et cette pauvre Lais qui a perdu deux cents guinées!

— Je la dédommagerai, répondit lord Manville froidement. Lais, je vous enverrai l'argent demain.

— Je préférerais que vous l'apportiez vous-même, chuchota-t-elle.

Elle avait mis les bras autour de son cou et posa un baiser sur sa joue. Puis elle chercha ses lèvres. Mais elle se rendit compte qu'il avait cessé de la désirer.

Ils sortirent et lord Manville aida les deux femmes à monter dans le cabriolet.

— Vous avez une belle paire de chevaux, remarqua-t-il.

— Ils m'ont coûté assez cher, riposta le capitaine.

Il fit claquer son fouet, et le cabriolet s'éloigna tandis que les femmes criaient des adieux et agitaient la main.

Avec un soupir de soulagement, lord Manville regagna la maison.

— Vous pouvez fermer, John, dit-il au valet qui se tenait à côté de la porte.

— Mlle Candida ne rentrera pas ce soir?

Lord Manville, qui était déjà au pied de l'escalier, se retourna.

— Mlle Candida? Mais elle est dans sa chambre.

— Non, my lord, elle est sortie vers 1 heure avec sir Tresham Foxleigh.

Lord Manville le regarda, incrédule.

— Vous parlez bien de Mlle Walcott?

— Oui, my lord.

— Vous êtes sûr qu'elle n'est pas rentrée?

— Absolument, my lord. Je n'ai pas bougé d'ici.

— Et Mlle Walcott est partie librement? demanda lord Manville choisissant ses mots.

— Tout à fait librement. Je l'ai entendue dire à

sir Tresham « très bien j'y vais ». Ils ont descendu les marches du perron ensemble.

L'expression de lord Manville fit peur au valet.

— J'espère que j'ai bien fait de vous le dire, my lord.

— Vous pouvez aller vous coucher. Je fermerai la porte quand cette dame sera revenue.

— Très bien, my lord.

Le valet s'éclipsa et lord Manville demeura seul dans le hall. Après un moment, il se mit à marcher de long en large.

Les chandelles s'éteignaient l'une après l'autre et la maison se remplissait d'ombres. Mais il n'y avait aucun bruit de roues dehors. On n'entendait que des hululements de chouettes et des glapissements de renard au loin.

Lord Manville ne cessait de regarder la pendule. Les minutes s'écoulaient avec une incroyable lenteur. A 2 heures et demie du matin, il alla à la porte.

Debout au sommet des marches, il fouilla des yeux l'obscurité, s'efforçant de distinguer l'allée, celle de l'est qui menait à la propriété de sir Tresham.

Mais le son qui éveilla son attention venait de l'autre direction. Il tourna la tête et, au-dessous de lui, sur les graviers de la cour, il distingua une silhouette.

Elle se trouvait dans l'ombre de la maison, mais il la reconnut tout de suite. Il ne se demanda pas pourquoi elle avait avancé d'une façon tellement silencieuse qu'il ne l'avait entendue qu'au dernier moment.

— Ainsi, vous êtes revenue! s'exclama-t-il.

Sa voix était glaciale et cinglante. La personne qui approchait s'arrêta.

— J'espère que vous vous êtes bien amusée!

Le cynisme de ses propos était d'autant plus mordant qu'il parlait avec un calme délibéré.

— Vous étiez-vous cachée avec sir Tresham dans les buissons ou vous a-t-il emmenée plus

184

loin afin que vous puissiez vous divertir sans risquer d'être surpris par quelqu'un comme moi, qui serait en droit de poser des questions?

Lord Manville s'arrêta. Ne recevant pas de réponse, il poursuivit :

— Je suppose que vous comptiez vous glisser dans la maison à mon insu en continuant à me duper comme vous l'avez fait cet après-midi, en m'incitant à croire que vous étiez différente des autres femmes que vous affectiez de détester. Je vous accorde que vous avez été très habile. La comédie était presque parfaite et eût convaincu n'importe qui.

Il s'interrompit. Ne recevant toujours pas de réponse, il reprit :

— Désormais, la vérité n'est que trop évidente. J'avoue que j'ai failli vous croire. La supercherie était habile. « Notre bois enchanté! » Il est incroyable que j'aie pu me laisser prendre à ces niaiseries. Mais je vous accorde que vous êtes bonne comédienne. Ce qui m'étonne, c'est que vous n'ayez pas poussé la comédie jusqu'au bout, comme vous en aviez l'intention, et réussi à me convaincre de vous épouser. C'est bien ce que vous vouliez, n'est-ce pas, ma belle petite amazone? Le mariage, une alliance au doigt et le droit de présider à ma table.

Lord Manville aspira profondément. Puis, avec un ton de dégoût, il conclut :

— Dire que j'ai failli tomber dans le panneau! Je me serais laissé prendre au plus vieux subterfuge du monde. Cela m'aura servi de leçon. Allez-vous-en, et ne remettez pas les pieds ici. Dites à votre amant que je ne veux pas de ses restes et que je ne me salirai pas les mains en touchant ce qu'il a irrémédiablement abîmé. Allez-vous-en et que Dieu vous maudisse. Je ne veux pas vous revoir!

Lord Manville, pour la première fois, avait élevé la voix et criait presque. Pivotant sur ses talons, il retourna dans la maison. Il tremblait de colère et avait l'intention de claquer la porte derrière lui et de la verrouiller. Mais quelque chose l'obligea à se retourner, peut-être pour voir si la silhouette, qui était demeurée immobile et silencieuse pendant son discours, était toujours là.

Elle était bien là. Mais elle n'était plus debout. Elle s'était effondrée sur le gravier. Il hésita. Puis, d'une voix encore dure, il dit :

— Levez-vous! Plaider votre cause ne vous servirait à rien.

Elle ne bougea pas. Il ajouta, perplexe :

— C'est inutile, Candida, la comédie est finie, vous le voyez bien. Si Foxleigh est rentré chez lui, je vous ferai reconduire en voiture.

Comme elle ne bougeait ni ne parlait, lord Manville, comme malgré lui, descendit les marches du perron.

— Voyons, Candida! insista-t-il.

Se penchant vers elle, il vit que ses cheveux étaient épars sur ses épaules. Quelque chose dans la pose abandonnée du corps prostré l'effraya.

— Candida, qu'y a-t-il?

Il tenta de la redresser et se rendit compte qu'elle était inconsciente. La prenant dans ses bras, il la porta vers la maison. Sitôt qu'il arriva dans le cercle de la lumière, il étouffa une exclamation.

Il vit tout d'abord sa gorge, écorchée et contusionnée par les branches du taillis à travers lequel elle s'était enfuie. Son corsage était déchiré et l'un de ses seins était dénudé. Ses bras et ses mains saignaient. Il ne restait que des lambeaux de sa somptueuse robe du soir. Son visage était barbouillé de boue mêlée de sang et ses cheveux, pleins de feuilles mortes et de brindilles.

— Mon Dieu! murmura lord Manville.

Portant Candida dans ses bras, il monta rapidement l'escalier, ouvrit la porte de sa chambre et la déposa doucement sur son lit.

Mais lorsqu'il voulut retirer ses bras, elle reprit conscience. Elle se cramponna aux revers de son habit avec la force de la panique.

— Empêchez-le de me trouver, aidez-moi, balbutia-t-elle, les lèvres sèches.

— Vous n'avez rien à craindre, Candida, vous êtes en sécurité. Il ne vous touchera pas.

— Il me cherche, murmura-t-elle d'une voix étranglée et elle ouvrit les yeux.

Ils exprimaient la terreur. Puis elle demanda, d'un ton plus calme :

— Suis-je vraiment en sécurité?

— Je vous le jure. Mais il faut que je sache ce qui s'est passé. Dites-le-moi.

Elle referma les yeux, comme si elle n'avait pas entendu ses paroles, puis elle chuchota :

— Sir Tresham m'a dit qu'un de ses chevaux était blessé. J'ai accepté d'aller le voir. Il m'a jetée dans la voiture. Il a déclaré qu'il avait toujours eu l'intention de m'avoir et que vous ne m'adresseriez plus la parole.

Sa voix s'étrangla. Elle reprit avec effort :

— Je me suis jetée hors de la voiture, mais ses domestiques ont tenté de me retrouver. Ils avaient des lanternes.

Lord Manville, frénétiquement, tira plusieurs fois sur la sonnette. Candida avait de nouveau sombré dans l'inconscience. Elle en émergea en criant :

— Il faut l'empêcher de me trouver.

— Je vous assure que vous ne risquez plus rien, dit lord Manville avec douceur.

— C'était horrible, j'avais tellement peur.

— Oubliez tout cela. Vous ne reverrez jamais cet homme, je vous le promets.

Il sentit qu'elle se calmait. La porte s'ouvrit. Mme Hewson, la gouvernante, entra précipitamment :

— J'ai entendu la sonnette, my lord, dit-elle, essoufflée.

— C'est moi qui ai sonné. Il y a eu un accident. Occupez-vous de Mlle Walcott, elle a été blessée!

Il quitta aussitôt la pièce et descendit l'escalier quatre à quatre. Il ne s'arrêta dans le hall que le temps de prendre son chapeau, ses gants et sa cravache. Puis il sortit et se dirigea vers les écuries.

Lord Manville, coupant à travers champs, arriva chez sir Tresham peu de temps après le dernier des invités. Un valet de pied se tenait encore près de la porte d'entrée. Il regarda avec étonnement lord Manville entrer sans mot dire et se diriger droit vers le salon.

Comme il s'y attendait, les femmes étaient parties se coucher mais les hommes buvaient un dernier verre. Lorsqu'il pénétra dans la pièce, ils le dévisagèrent avec étonnement. Sir Tresham s'apprêtait à boire un cognac.

— Manville! s'exclama-t-il — et il posa prudemment son verre.

Lord Manville se dirigea droit sur lui.

— Moi et mes amis avons beaucoup de vices, dit-il d'un ton insultant, mais nous n'avons jamais enlevé une femme contre son gré et tenté de la violer.

Sir Tresham affecta de rire.

— Vous n'avez rien compris, Manville. Elle était consentante. Mais, subitement, elle a piqué une crise d'hystérie.

— Elle était si consentante qu'elle s'est jetée hors de votre voiture pour échapper à vos odieuses importunités. Et je vais vous donner une leçon que vous n'êtes pas près d'oublier. Je veux vous corriger, Foxleigh. Que choisissez-vous, les poings ou les pistolets? Peu m'importe.

Sir Tresham tenta de soutenir le regard de lord Manville puis détourna les yeux.

— Je ne me battrai pas avec vous pour une fille qui trouvait insuffisant le prix que je lui ai offert!

Lord Manville retira ses gants, les prit dans une main et gifla froidement sir Tresham de l'autre.

— Maintenant, vous battrez-vous?

— Non, riposta sir Tresham d'une voix suraiguë. Je ne me battrai pas pour une vulgaire prostituée.

Il n'en put dire davantage car lord Manville, d'un coup de poing, l'envoya au tapis. Au lieu de se relever, sir Tresham se couvrit la figure des mains.

— Allez-vous-en! Sortez de ma maison! cria-t-il.

Lord Manville le considéra avec dégoût.

— Je ne vous ai jamais compté comme l'un des nôtres, Foxleigh, mais je ne savais pas que vous étiez lâche.

Prenant sa cravache de la main droite, il saisit sir Tresham par le collet de son habit et se mit à le battre comme on corrigerait un chien.

Sir Tresham était plus robuste que lui, mais ne chercha pas à éviter les coups. Il se contenta de gémir, en protégeant son visage. Lord Manville le cravacha jusqu'à ce que le satin de son habit fût en lambeaux. Le capitaine Willoughby s'interposa.

— Il a son compte, Manville.

Ces mots dissipèrent la fascination qui avait pétrifié les invités depuis l'irruption de lord Manville. Ils se mirent à chuchoter, comme des marionnettes prenant vie.

— Je pars immédiatement pour Londres, dit le capitaine Willoughby en regardant sa montre.

— Je vous accompagne, déclara précipitamment le duc de Dorset.

— Demandons à un domestique de faire venir nos voitures, ajouta le comte de Fenton. Je n'ai aucun désir de rester un instant de plus sous le toit d'un lâche.

Ces mots ranimèrent leur hôte. Il s'efforça de se redresser.

— Messieurs, je vous en prie, ne m'abandonnez pas.

Mais ils avaient déjà quitté la pièce.

Lord Manville, en sortant du salon, s'était dirigé vers l'escalier. Sur le palier, il demanda à une femme de chambre où il pourrait trouver Lais.

Il pénétra dans la pièce sans frapper. Elle était assise devant sa coiffeuse dans un déshabillé diaphane et enlevait les boucles d'oreilles en diamants qu'il lui avait données. En entendant la porte s'ouvrir elle se retourna et poussa une exclamation de surprise.

— Silvanus! Que faites-vous ici?

Lord Manville lui saisit les épaules :

— Combien Foxleigh vous a-t-il payé pour me retenir dans le jardin pendant qu'il enlevait Candida?

— Vous me faites mal, protesta Lais.

— Dites-moi la vérité! ordonna lord Manville sans la lâcher.

— Eh bien, soit! Je ne lui ai pas demandé d'argent. J'étais furieuse parce que vous avez laissé Foxleigh parier sur moi pendant la compétition comme si cela vous était indifférent. Vous m'aviez déjà abandonnée à Londres et vous ne sembliez pas heureux de me voir arriver à Manville Park.

— Ainsi, vous étiez complices! C'était bien un coup monté!

— Vous me faites mal, répéta Lais avec un gémissement. Vous m'appartenez. Vous n'aviez pas le droit de me traiter ainsi.

— C'est tout ce que je voulais savoir, conclut lord Manville. Je vous enverrai un chèque. Après cela, je ne désire pas vous revoir.

Lui tournant le dos, il se dirigea vers la porte. Lais se leva d'un bond et courut derrière lui :

— Silvanus, vous ne pouvez pas me quitter ainsi! Je vous aime.

— Vous m'aimez? Vous ne comprenez même pas la signification de ce mot, riposta-t-il avec mépris.

— Ni vous, répliqua-t-elle avec colère. Vous n'avez pas de cœur. Vous prenez tout d'une femme sans rien lui donner en échange.

Mais lord Manville n'était pas disposé à l'écouter. Il descendit l'escalier en courant. Il passa sans mot dire devant les hommes qui parlaient entre eux dans le hall en attendant leurs voitures. Il sauta en selle pour retourner chez lui.

Il était près de 4 heures du matin lorsqu'il arriva à Manville Park. Il monta l'escalier pour aller se coucher. Lorsqu'il parvint au palier il s'arrêta un instant devant la porte de la chambre de Candida. Devait-il entrer pour lui affirmer qu'elle ne reverrait jamais sir Tresham Foxleigh?

Sir Tresham était perdu de réputation. La lâcheté était quelque chose d'impardonnable même aux yeux des aristocratiques fêtards qu'il se plaisait à fréquenter. Il ne lui restait qu'à aller dépenser sa fortune à l'étranger.

Lord Manville écouta, mais tout était silencieux dans la chambre de Candida.

— Elle dort sans doute. C'est le meilleur remède après une telle épreuve!

Il lui raconterait ce qui s'était passé chez sir Tresham le lendemain matin. Avec un sourire de satisfaction, il gagna sa propre chambre.

Candida fut réveillée par le bruit de ses pas, à moins que ce ne fût par la simple intuition de sa présence. Elle s'était endormie une fois que Mme Hewson, aidée de la première femme de chambre, avait enlevé la boue et le sang qui couvraient son visage, ses bras, son cou, après l'avoir déshabillée.

Candida était si épuisée qu'elle n'avait même pas ouvert les yeux, sachant qu'elle était en de bonnes mains. Elle avait bu avec docilité un verre de lait chaud au miel qu'on lui avait tendu. Puis elle avait sombré dans un sommeil sans rêve.

Elle s'était réveillée l'esprit clair. Bien que son corps fût raide et ses bras endoloris, elle n'avait aucune blessure grave. Sa crinoline l'avait protégée. Elle était jeune et robuste grâce à sa passion pour l'équitation. Ses contusions ne tarderaient pas à guérir.

Mais en se réveillant elle se souvint, le cœur déchiré, des accusations que lord Manville avait portées contre elle du haut du perron. Elle n'avait pas compris ce qu'il disait mais se rendait compte qu'il lui reprochait de l'avoir trompé, qu'il la détestait et la méprisait d'avoir menti.

Candida ne se demandait même pas quel crime elle avait commis à ses yeux. Il lui suffisait de savoir que lord Manville la haïssait et ne l'aimait plus. Elle en souffrait davantage que de la terreur que lui avait inspirée sir Tresham.

Elle se leva péniblement et, allant à la fenêtre, elle tira les rideaux. L'aube se levait. Les étoiles pâlissaient. Bientôt, il ferait jour.

« Je ne peux pas rester à Manville Park », pensa-t-elle.

Elle se sentait encore étourdie et ahurie. Il demeurait des traces de la fatigue accablante qui avait rendu si dur son retour la veille. Une impression d'être aspirée par des sables mouvants.

Une seule idée l'animait : il lui fallait partir! Elle ne pouvait pas revoir lord Manville ni supporter qu'il lui parlât du ton cruel et cynique qui l'avait atteinte au cœur la veille au point qu'elle s'était effondrée, engloutie par un abîme de ténèbres.

« Il faut que je m'en aille », ne cessait-elle de se répéter.

Fébrilement, bien qu'avec une infinie lenteur, elle s'habilla. Elle ouvrit la porte de l'armoire et regarda les étoffes diaphanes ou chatoyantes des robes exquises ou somptueuses que Mme Clinton avait achetées pour elle.

Dans un coin, elle trouva ce qu'elle cherchait. L'amazone sombre qu'elle mettait lorsqu'elle se rendait au manège le matin, aux heures où personne ne pouvait la voir. Mme Clinton l'avait qualifiée dédaigneusement de « tenue de travail ».

Elle l'enfila. Les bottes, lorsqu'elle y glissa ses pieds bandés, lui firent terriblement mal. Mais cette souffrance était inévitable si elle voulait quitter Manville Park.

Une fois habillée, elle ouvrit le tiroir d'une commode en marqueterie à poignées dorées. Elle y prit un baluchon blanc qu'elle y avait rangé elle-même en disant aux femmes de chambre de ne pas le déballer.

Dans un châle blanc qui avait appartenu à sa mère, elle avait mis tous les biens personnels qui lui restaient.

Ned avait apporté ses vêtements à Londres le lendemain de son arrivée, comme le capitaine Hooper l'avait promis. Mais Mme Clinton avait tout jeté, ne lui permettant de garder que ces quelques trésors, seuls souvenirs de son passé.

Elle posa le baluchon sur le bord de la fenêtre, afin d'inspecter son contenu à la clarté du jour. Il y avait une miniature d'elle enfant. Une petite boîte en argent en forme de cœur contenant quelques pièces de monnaie. Un bouton à manchette de son père. Un crochet à boutons et un peigne aux initiales de sa mère.

En dehors de cela, il n'y avait que des livres. Les poèmes de son père, six volumes reliés en cuir vert que sa mère n'avait cessé de relire et qu'elle gardait toujours à son chevet. Il y avait aussi un livre de prières.

Lui aussi était usé. Sa mère l'emportait tous les dimanches à l'église. Depuis son enfance, Candida connaissait la collecte de la semaine. Elle n'en avait oublié aucune. En prenant le livre, elle murmura celle que sa mère avait toujours ajoutée à ses prières : « Seigneur, éclaire nos ténèbres et protège-nous contre les périls et les dangers de cette nuit. »

A se remémorer ces mots familiers qui avaient

accompagné toute son enfance, Candida sentit les larmes lui monter aux yeux. Elle n'en pouvait plus. Elle se couvrit le visage de ses mains.

« Oh, maman, gémit-elle, aide-moi. Où vais-je aller? Que vais-je faire? Je l'aime, mais lui me hait. Il ne veut plus de moi ici. Aide-moi maman. Que vais-je devenir? Je suis si seule. »

Sa prière fut noyée par les larmes. Puis elle eut le sentiment que sa mère était à ses côtés. La situation ne lui semblait plus aussi désespérée. Elle n'était plus perdue. Sans pouvoir en expliquer la raison, elle avait cessé d'avoir peur. Elle essuya ses yeux. Le ciel lui parut plus clair.

« Peut-être trouverai-je un lieu où me réfugier », songea-t-elle.

Elle remit le livre de prières avec les autres et prit les coins de châle afin de les nouer. Ce fut alors qu'elle vit à côté des livres de son père un autre volume dont elle ne se souvenait pas. Il était relié de cuir rouge et contrastait avec les poèmes reliés en vert.

Elle l'examina de plus près et se rappela qu'elle l'avait trouvé tout au fond du tiroir de la coiffeuse de sa mère au moment où le marchand qui lui avait acheté les meubles pour le prix de quelques guinées, qui suffisaient tout juste à payer les dettes, allait l'emmener. Tout en se disant qu'elle n'avait jamais vu ce livre, elle l'avait glissé hâtivement dans le baluchon qui contenait ceux de son père.

Maintenant, elle se rendait compte qu'il s'agissait d'une édition de *Roméo et Juliette*. Elle sourit en lisant le titre. Elle comprenait que sa mère eût gardé le livre. Elle lui avait dit un jour :

« J'étais très jeune quand j'ai connu ton père, Candida, mais je l'ai aimé de tout mon cœur. Nous n'étions pas si jeunes que nous ne comprenions l'importance que cet amour avait pour nous. Comme Roméo et Juliette, nous savions que nous étions faits l'un pour l'autre. »

Candida ouvrit le livre. Sur la page de garde, on avait écrit d'une main ferme « à ma chère fille Elisabeth, à l'occasion de son dix-septième anniversaire, avec mon affection ».

« Ainsi, c'est la raison pour laquelle maman cachait ce livre », songea Candida. Elle examina l'*ex-libris*.

Il était très impressionnant. En le regardant de plus près, Candida comprit avec stupeur que sa mère avait exaucé sa prière.

11

Adrian était assis à la table du petit déjeuner, les yeux ailleurs. Il tenait à la main une feuille de papier, qu'il glissa hâtivement dans sa poche lorsque lord Manville apparut.

— Bonjour, Adrian, dit celui-ci.

Il n'avait pas été sans remarquer le geste de son pupille. A un autre moment, cette manifestation de méfiance l'eût peut-être irrité. Mais ce matin-là, il était d'une bonne humeur inaltérable.

— Il fait beau, déclara-t-il avec entrain en s'attablant, tandis que Bateman lui présentait des rognons sautés au vin, avec une sauce à la crème.

Comme Adrian ne répondait pas, il poursuivit :

— Comment vous sentez-vous après les réjouissances d'hier?

— Plutôt bien. Mais j'ai été me coucher de bonne heure. Si je ne me trompe pas, vous, vous n'êtes monté que vers 4 heures du matin.

— Vous avez raison. Mais c'est parce que j'ai été chez sir Tresham Foxleigh lui administrer une leçon qu'il n'oubliera pas de sitôt.

— Vous avez été chez sir Tresham? Je croyais que vous aviez juré de ne pas mettre les pieds chez lui?

— Nous ne le reverrons pas, commenta lord Manville avec satisfaction en se servant d'un autre plat. Je ne serais pas étonné s'il vendait sa propriété. Dans ce cas, je la rachèterai.

— Mais qu'est-il arrivé?

Lord Manville s'assura que les domestiques avaient quitté la pièce.

— Une fois que vous avez été couché, Candida est revenue à la maison couverte de boue et de sang parce qu'elle s'est jetée hors de la voiture de cet odieux individu qui a tenté de l'enlever.

— Mon Dieu! Mais quand cela s'est-il produit? Lorsque Candida m'a quitté, elle montait se coucher.

— C'était bien son intention. Mais apparemment Foxleigh l'a arrêtée au passage et l'a persuadée d'aller jeter un coup d'œil sur un de ses chevaux dont il prétendait qu'il était blessé. C'était un piège dans lequel elle est tombée en toute innocence.

— C'est affreux. Candida détestait cet homme. Il lui faisait peur. Elle m'a raconté qu'il s'était introduit de force chez Mme Clinton et avait tenté de l'embrasser.

— Ainsi, c'est là qu'ils ont fait connaissance!

Bateman et deux valets étaient entrés avec d'autres plats. Lord Manville regarda la chaise vide et remarqua :

— Je suppose que Mlle Candida prend son petit déjeuner dans sa chambre. Transmettez-lui mes respects, Bateman, en lui disant que j'aimerais avoir de ses nouvelles. Au cas où elle dormirait encore, dites à Mme Hewson de ne pas la réveiller.

— Je vais m'en assurer moi-même, my lord, répondit Bateman.

Lorsqu'il eut quitté la pièce en compagnie des autres domestiques, Adrian reprit :

— Je n'arrive pas à y croire. Candida en a été bouleversée, je suppose.

— Comme je vous l'ai dit, elle s'est jetée hors de la voiture. Si elle n'avait pas eu ce courage, Dieu sait ce qui aurait pu arriver.

— Si seulement je l'avais accompagnée jusqu'à sa chambre. J'aurais dû me dire qu'il se produirait un accident avec tous ces débauchés dans la maison.

— Est-ce ainsi que vous jugez mes amis? demanda lord Manville en haussant les sourcils.

— Ils me donnent la nausée, si vous voulez le savoir, répondit Adrian.

Lord Manville ne dit rien et continua de manger en silence. Au bout d'un moment, Bateman revint.

— Mme Hewson informe my lord que Mlle Candida n'est pas dans sa chambre.

— Pas dans sa chambre? Mais où est-elle?

— Mlle Candida, a dit Mme Hewson, s'est rendue aux écuries à 5 h 30 du matin. Elle a demandé qu'on selle Pégase et elle est partie seule.

— Seule? coupa lord Manville irrité. Pourquoi ne l'a-t-on pas escortée?

— C'est elle qui désirait être seule, my lord. Elle a refusé qu'on l'accompagne.

Il y eut un silence. Bateman reprit :

— Je crois devoir ajouter que Mme Hewson a remarqué que Mlle Candida avait emporté un baluchon blanc.

— Un baluchon?

Adrian se leva d'un bond.

— Je sais ce que c'est. Cela signifie qu'elle est partie.

Lord Manville regarda son pupille et fit signe à Bateman de se retirer. Quand ils furent seuls, il demanda :

— Que voulez-vous dire? Que contient ce baluchon?

— Tout ce que Candida possède au monde. Tout ce à quoi elle tient. Elle est partie, vous dis-je. Elle ne reviendra pas.

— Comment le savez-vous?

— Quelque chose a dû arriver hier soir que vous ne m'avez pas dit, riposta Adrian, furieux.

Même si Foxleigh lui a manqué de respect, Candida n'aurait pas quitté Manville Park pour cette raison.

Lord Manville eut l'air embarrassé. Il alla à la cheminée et fixa le foyer vide.

— Je n'avais pas compris qu'elle avait suivi Foxleigh contre son gré, avoua-t-il, comme si chaque mot lui coûtait. Lorsqu'elle est revenue, j'étais très en colère. Mais j'ai cru qu'elle avait compris qu'il y avait eu un malentendu.

— Vous étiez en colère? Vous voulez dire que vous l'avez terrifiée avec un de vos accès de rage froide! Comment avez-vous pu traiter d'une telle façon une femme qui vous aime?

— Comment savez-vous qu'elle m'aime?

— Mais ça crève les yeux. Même vous, vous auriez dû vous en rendre compte.

Son indignation s'accrut:

— Ainsi, vous étiez en colère, et je suppose que vous avez mis Candida en pièces avec vos sarcasmes glacés. Candida que vous connaissiez si peu que vous avez imaginé qu'elle avait suivi de son plein gré un homme qu'elle détestait au point qu'elle tremblait à sa vue!

Lord Manville ne répondit pas. Adrian continua:

— J'espère que vous êtes content de vous-même! Vous avez incité Candida à la fuite et, si je ne me trompe, vous lui avez brisé le cœur. Alors qu'elle est la femme la plus douce, la plus exquise que je connaisse. Mais, en tant que bourreau des cœurs, vous vous êtes montré égal à votre réputation. Vous devez être satisfait d'avoir une nouvelle victime à votre tableau de chasse.

Lord Manville regarda son pupille, le visage convulsé par la colère. Puis il pivota sur ses talons et sortit, claquant la porte derrière lui.

Adrian ne le revit qu'à la nuit tombée. L'heure du dîner était depuis longtemps passée lorsque lord Manville se laissa tomber dans un grand fauteuil. Ses bottes et ses culottes étaient couvertes de boue. Il était manifestement épuisé. Bateman demanda d'un ton de sollicitude :

— Avez-vous dîné, my lord?

— Non, je n'ai pas faim.

— Je pense qu'il serait sage de manger quelque chose, my lord. Tout est prêt. Alphonse a gardé les plats au chaud en attendant votre retour.

— Je vous ai dit que je n'avais pas faim, coupa lord Manville. Mais vous pouvez m'apporter à boire.

Bateman lui apporta un verre de cognac qu'il vida d'un trait.

— Vous feriez bien de manger au moins une assiette de potage, intervint Adrian, qui se tenait de l'autre côté de la cheminée. Vous avez l'air d'être à bout de forces. Avez-vous mangé quelque chose depuis le petit déjeuner?

— Non, et peu m'importe. Vous pouvez m'apporter ce que que vous voulez, mais ne m'ennuyez pas.

A voix basse, Bateman ordonna à un valet de débarrasser lord Manville de ses bottes. Un autre valet lui apporta une veste d'intérieur et lui ôta sa cravate chiffonnée. Lorsqu'on apporta la nourriture, lord Manville en absorba quelques bouchées puis repoussa son assiette.

— Je n'ai pas faim, répéta-t-il.

Adrian attendit que les domestiques eussent quitté la pièce.

— Vous ne l'avez pas trouvée? demanda-t-il.

— Il n'y a aucune trace d'elle nulle part, répondit lord Manville d'un ton anxieux qu'Adrian ne lui connaissait pas. Il faut que vous m'aidiez. Où puis-je la chercher? D'où venait-elle?

— Ses parents sont morts. C'est pourquoi elle est allée à Londres.

Lord Manville l'interrogea du regard.

— Son père était Alexandre Walcott, expliqua Adrian.

Lord Manville demeura perplexe :

— Ce nom devrait-il m'être connu?

— Vous avez dû en entendre parler lorsque vous étiez à Oxford. C'est lui qui a traduit l'*Iliade*. Sa traduction est au programme de chaque étudiant.

— Mais bien sûr! s'exclama lord Manville. Alexandre Walcott. Il ne m'est pas venu à l'idée que c'était son père.

— Il vaut peut-être mieux que je vous dise que Candida m'aidait dans mon travail, précisa Adrian avec défi. Depuis un moment, j'écris de la poésie et je sais désormais que c'est à cela que je désire consacrer ma vie.

— Pourquoi pas? riposta lord Manville avec indifférence. Ainsi, c'est de cela que vous parliez entre vous? Vous vous taisiez sitôt que j'arrivais. Je me demandais ce que vous me cachiez.

— Je ne voulais pas vous montrer mes poèmes.

— Aujourd'hui, tandis que je cherchais Candida, j'ai pensé que je m'étais peut-être montré trop autoritaire avec vous. Vous pouvez épouser la fille du pasteur, j'y consens.

— Je ne souhaite plus l'épouser.

— Est-ce parce que vous aimez Candida? s'inquiéta lord Manville, de nouveau tendu.

Adrian secoua la tête.

— Je l'aime comme une sœur. C'est la personne la plus exquise que je connaisse. Mais je ne souhaite pas l'épouser. Ni elle ni une autre. D'ailleurs, elle est amoureuse de vous.

Lord Manville émit un murmure indistinct.

Adrian poursuivit :

— Moi aussi, j'ai réfléchi. Hier soir, il s'est produit quelque chose qui a choqué Candida dès avant le dîner. Elle semblait absolument consternée et se rendait à peine compte de ce qui se passait autour d'elle. Ce qui, en l'occurrence, était une bonne chose. Mais elle était manifestement malheureuse. Vous avez dû lui dire quelque chose qui l'a blessée.

— Je ne me rendais pas compte de la personne qu'elle était, avoua lord Manville.

— Mais vous vous êtes sûrement aperçu qu'elle était une jeune fille convenable? Vous me considérez comme un benêt, mais je l'ai compris tout de suite.

— Vous ne connaissez pas la situation, protesta lord Manville. Je l'ai achetée, *achetée* m'entendez-vous, à Hooper et à Cheryl Clinton, la plus célèbre entremetteuse de Londres! Comment aurais-je pu penser que Candida n'avait rien de commun avec eux?

— Et moi qui vous croyais supérieurement intelligent! s'exclama Adrian avec sarcasme. Vous m'avez toujours donné à sentir que j'étais un imbécile qui ignorait tout du monde. Mais il ne m'est pas venu à l'esprit d'assimiler Candida aux créatures vulgaires qui étaient ici hier soir.

— Mais c'est Hooper qui l'exhibait, dit lord Manville du ton de quelqu'un qui est au banc des accusés.

— Hooper a acheté Pégase pour cent livres à la foire de Potters Bar. Lorsque Candida lui a montré quels exercices elle faisait effectuer au cheval, il l'a emmenée à Londres. Il était assez malin pour se rendre compte qu'elle ne lui serait pas d'une grande utilité tant qu'elle ne serait pas vêtue avec suffisamment d'élégance pour retenir l'attention d'hommes de votre sorte. C'est pourquoi il s'est entendu avec Mme Clinton et que, trois semaines durant, ils ont caché Candida à tous les regards. Elle n'a jamais rencontré qui que ce soit, si ce n'est Foxleigh lorsqu'il s'est introduit de force dans la maison. Candida était naïvement reconnaissante à ses prétendus protecteurs de lui permettre de monter Pégase et de lui offrir un toit. Alors que ces deux vautours n'attendaient qu'une chose : que vous mordiez à l'appât.

— Mon Dieu! s'exclama lord Manville, consterné.

— Candida n'avait pas la moindre idée de ce qui se tramait. Elle n'avait qu'un désir : demeurer avec Pégase. C'est ainsi qu'ils l'ont convaincue de vous suivre à Manville Park.

Lord Manville se couvrit le visage des mains. Adrian continua :

— Elle m'a avoué que sa conscience la tourmentait parce qu'elle était incapable de faire ce que vous lui aviez demandé. Elle n'aurait pas pu me faire connaître les établissements où vous souhaitiez qu'elle m'emmène parce que, jusque-là, elle ignorait jusqu'à leur existence.

— Mais pourquoi ne me l'a-t-elle pas dit?

— Parce qu'elle avait peur que vous la renvoyiez comme inapte à tenir l'emploi que vous lui destiniez.

Il tentait de parler avec ironie, mais sa voix tremblait comme s'il était au bord des larmes.

— Que lui est-il arrivé? s'exclama-t-il avec angoisse. Où est-elle allée? Il est impossible qu'elle et son cheval aient pu passer inaperçus.

— C'est également ce que j'ai pensé. Elle n'avait même pas d'argent.

— Pas d'argent? Vous ne lui en aviez pas donné?

— Je n'y ai pas pensé. Cela ne semblait pas nécessaire tant qu'elle était à Manville Park, et j'avais peur qu'elle refuse.

Il se souvint de la répugnance de Candida à accepter les guinées qu'il lui avait tendues lorsqu'ils avaient quitté la maison de Cheryl Clinton. Elle s'était arrangée pour qu'il les remît directement au domestique. Pourquoi ne s'était-il pas rendu compte dès cet instant qu'elle n'avait rien de commun avec les belles amazones?

— C'est sa première apparition dans Hyde Park qui m'a trompé. Dans son habit blanc, escortée de Hooper, elle a fait sensation.

— Candida m'a dit qu'elle se sentait gênée et nerveuse. Mais Hooper lui a affirmé qu'il ne s'agissait que de faire valoir le cheval et elle l'a cru, sans savoir qu'il avait l'intention de vendre l'animal. Il lui avait promis qu'il ne le ferait pas.

Lord Manville se rappela la peur qu'il avait lue dans les yeux de Candida lorsqu'il avait demandé à Hooper le prix du cheval. Pourquoi n'avait-il pas compris tout de suite qu'il y avait quelque chose d'anormal dans la situation? Pourquoi avait-il été aussi stupidement aveugle?

— J'ai été un imbécile, admit-il avec une humilité sans précédent. Mais je suis résolu à la retrouver avant qu'il lui arrive malheur. Si vous me disiez ce qu'il y a dans le baluchon qu'elle a emporté?

— Les poèmes de son père et quelques objets qui n'ont pas été vendus avec le mobilier quand elle a perdu son foyer. Sa mère est morte et son père s'est rompu le cou un soir où il était ivre. C'est à ce moment-là que Candida a découvert le montant des dettes qu'ils devaient aux fournisseurs et aux gens du village. Le seul bien de valeur qui lui restait était Pégase. Le prix que le capitaine Hooper lui en a donné était destiné à pourvoir aux besoins de son vieux domestique.

— Dans ce cas, c'est certainement chez cet homme qu'elle est allée se réfugier. Savez-vous où il habite?

— Oui, dans un village appelé Little Berkhamsted, près de Potters Bar.

— Je m'y rendrai demain matin, déclara lord Manville, les yeux brillants d'espoir. Merci Adrian. Je suis convaincu que, demain soir, je ramènerai Candida.

— Je l'espère, répondit Adrian d'un ton de doute.

Lord Manville se leva et posa la main sur son épaule :

— Vous êtes sûr que vous n'avez pas envie de vous marier? J'ai eu tort de vous refuser mon consentement.

— Candida m'a amené à comprendre que je n'aimais pas Lucy. Elle m'a amené à comprendre qu'un homme devait d'abord accomplir quelque chose qui donne un sens à sa vie. Quand j'ai vu les viveurs qui accompagnaient sir Tresham hier soir, j'ai compris qu'elle avait raison. Je n'ai jamais eu envie de devenir un dandy. Aujourd'hui, je sais que je dois travailler, non pas pour gagner de l'argent dont je n'ai pas besoin mais pour contribuer au bonheur des autres.

— C'est Candida qui vous a inspiré ces idées? demanda lord Manville avec étonnement.

— Elle m'a fait comprendre beaucoup de choses auxquelles je n'avais jamais pensé. Voyez-vous, Candida a vécu à la campagne et elle peut vous paraître naïve et ignorante. Mais, pour tout ce qui est essentiel dans l'existence, elle me semble avoir beaucoup de sagesse.

— Je commence à m'en rendre compte, soupira lord Manville en courbant la tête.

Le lendemain matin, lorsque Adrian descendit pour le petit déjeuner, lord Manville était déjà parti.

— Pensez-vous que my lord retrouvera Mlle Candida? demanda Bateman d'un ton anxieux. Nous nous inquiétons tous à son sujet. Jamais nous n'avions vu une jeune dame aussi gentille dans la maison. Je puis l'affirmer car cela fait trente-cinq ans que je suis ici.

— Je suis sûr que lord Manville finira par la retrouver.

« Il est certain qu'elle a dû retourner à Little Berkhamsted », songeait Adrian. Mais il était incapable de fixer son attention sur ses poèmes. Il se rendit à l'écurie pour parler avec Garton.

— Etes-vous sûr, Garton, que Mlle Candida n'a rien dit sur le lieu où elle allait?

Garton secoua la tête.

— Non, monsieur Adrian. My Lord m'a demandé la même chose. Je n'étais pas là quand Mlle Candida est descendue, mais, lorsque j'ai entendu qu'on s'agitait dans la cour, je suis allé voir ce qui se passait. On amenait Pégase de l'écurie et Mlle Candida l'attendait. Elle portait un baluchon et elle était si pâle que j'ai pensé que c'était anormal. Je lui ai dit :

» — Mieux vaut qu'un palefrenier vous accompagne, mademoiselle Candida.

» — Non, merci, Garton, a-t-elle répondu. Je veux être seule. Et il n'y a dans toute votre écurie que Tonnerre qui soit capable de suivre Pégase! »

» C'était une plaisanterie habituelle entre nous. J'aurais ri si elle n'avait eu l'air malade, au point que j'avais peur qu'elle ne s'effondre.

» — Etes-vous en état de monter à cheval, mademoiselle? ai-je demandé.

» — Je vais tout à fait bien. Aidez-moi à monter en selle, j'ai mal au bras.

» — J'espère que ce ne sont pas des rhumatismes, ai-je riposté en souriant.

» — Non, j'ai fait une chute et mon bras est un peu raide. Mais ça se passera.

» Je l'ai mise en selle. Elle est légère comme une plume. Mais lorsqu'elle m'a regardé, elle avait une expression qui m'a serré le cœur.

» — Adieu, Garton, m'a-t-elle dit. Et merci pour tout ce que vous avez fait pour moi.

— En avez-vous déduit qu'elle ne reviendrait pas? demanda Adrian.

— Je n'osais pas y penser. Je n'aurais voulu perdre Mlle Candida ni Pégase pour tout l'or du monde.

— Ni moi, conclut Adrian.

Il rentra dans la maison et attendit. Il s'efforça d'estimer le temps qu'il faudrait à lord Manville pour se rendre à Little Berkhamsted et en revenir. Il ignorait la distance exacte. Le dîner était brûlé lorsque lord Manville revint.

Adrian devina au bruit des pas de son tuteur dans le hall que son expédition avait été vaine. Mais il ne put s'empêcher de demander :

206

— Avez-vous eu de ses nouvelles?

— Son vieux domestique n'en a pas entendu parler. Mais il m'a appris beaucoup de choses sur Candida que j'aurais dû deviner dès que je l'ai vue. J'ai vu la tombe de ses parents au cimetière et le manoir où ils ont vécu. Adrian, comment ai-je pu croire l'espace d'un instant qu'elle faisait partie des belles amazones? Je n'ai cessé de me poser cette question en revenant.

Il y avait tant de souffrance dans sa voix qu'Adrian répondit avec compassion :

— Je suppose que nous voyons ce que nous nous attendons à voir. C'est ce qui vous a trompé. Candida m'a dit un jour que nous n'utilisions pas assez notre intuition devant les chevaux et devant les gens.

— Je n'en ai eu aucune en ce qui la concerne, convint lord Manville amèrement.

Jour après jour, avec une monotone régularité, il quittait la maison le matin pour ne revenir que le soir. Adrian remarqua qu'il se montrait de plus en plus bienveillant et abordable et qu'il était manifestement malheureux. Il avait tellement maigri que ses vêtements flottaient sur son corps. Néanmoins, sa physionomie s'en trouvait rajeunie. Il avait renoncé à sa vie dissipée, dont les excès, malgré son tempérament robuste, commençaient à laisser des traces.

Après la première semaine, Adrian avait presque oublié le tuteur intimidant qu'il avait détesté parce qu'il le craignait.

Désormais, ils s'entretenaient sur un pied d'égalité. Ils étaient deux hommes qui avaient perdu une personne à laquelle ils tenaient. Parfois, il semblait que c'était Adrian le plus mûr et le plus sage des deux et que lord Manville cherchait auprès de lui un réconfort et des conseils.

— Que puis-je faire? Où puis-je la chercher? Ne cessait-il de demander, après une journée de vaines investigations. De quoi peut-elle vivre? Elle n'avait rien à vendre, si ce n'est Pégase, avait-il conclu à voix basse.

— Si elle l'avait vendu, nous en entendrions parler. Un cheval pareil ne passe pas inaperçu.

— J'y ai pensé. J'ai envoyé un palefrenier à Londres pour surveiller les ventes de Tattersalls. Et j'ai donné l'ordre à Garton de faire de même pour toutes les ventes qui auraient lieu dans un rayon de cent kilomètres.

— Et Hooper?

— Mon secrétaire m'a dit que ni Hooper ni Cheryl Clinton n'ont eu de nouvelles de Candida. Il est convaincu qu'ils disent la vérité.

— Il faut pourtant qu'elle soit quelque part. Si elle était morte, nous le saurions.

— Ne dites pas une chose pareille! protesta vivement lord Manville.

Adrian se rendit compte qu'il souffrait plus qu'il n'eût imaginé qu'un homme, et surtout un homme comme lord Manville, pouvait souffrir de la perte d'une femme.

Une semaine plus tard, ils apprirent que sir Tresham Foxleigh était parti à l'étranger et que sa propriété était à vendre. Lord Manville donna l'ordre de l'acheter, mais sans joie. Une fois son gérant parti, Adrian lui dit :

— C'est une occasion que vous attendiez depuis longtemps, n'est-ce pas?

— Je renoncerais volontiers à acheter cette propriété et même à Manville Park si je pouvais retrouver Candida.

Adrian était certain qu'il le pensait.

— Pourquoi sir Tresham vous haïssait-il?

— Pour une raison sans importance. Un de mes amis avait été obligé de vendre ses chevaux pour payer ses dettes et sir Tresham avait profité de sa jeunesse et de son inexpérience pour lui proposer un prix très en dessous de leur valeur. J'ai convaincu cet ami d'annuler la vente et je les ai achetés moi-même à un prix équitable. Foxleigh était furieux, surtout lorsque l'un des chevaux a gagné une course à Newmarket. Il s'est comporté d'une façon si outrageante que j'ai voté contre son admission à un club dont il souhaitait faire partie. Il a juré de se venger et il y a réussi.

— Mais il n'a pas obtenu Candida. C'est du moins une certitude.

— Il n'en reste pas moins que moi, je l'ai perdue.

Trois semaines après la disparition de Candida, Adrian, en descendant le matin, trouva lord Manville en train de finir son café. Adrian s'était habitué à descendre de bonne heure pour voir son tuteur avant que celui-ci partît pour ses vaines randonnées.

— Je suis désolé d'être en retard, mais j'ai veillé jusqu'à 3 heures du matin pour écrire un poème. Je voudrais que vous l'écoutiez quand vous en aurez le temps.

— Volontiers. Le dernier que vous avez écrit m'a paru particulièrement réussi.

— Je ne suis pas très satisfait du dernier vers. Si seulement Candida était là, elle me dirait ce qui ne va pas.

— Peut-être la trouverai-je aujourd'hui.

Mais il n'y avait guère d'espoir dans la voix de lord Manville. Elle n'exprimait qu'une morne tristesse. Adrian tenta de le réconforter.

— J'ai rêvé qu'elle était revenue et que nous étions tous très heureux. C'était un rêve extravagant car Pégase était dans le salon en train de brouter les œillets d'un vase.

Lord Manville s'efforça de sourire, mais y renonça.

— Il faut que je m'en aille, déclara-t-il en se levant. Je me demande où je vais aller. J'ai fouillé tout le pays.

Bateman surgit, avec une expression qui attira l'attention d'Adrian.

— Je vous demande pardon, my lord, dit-il d'un

ton excité, mais le jeune Jim, des écuries, voudrait vous parler.

— Il a des nouvelles à me communiquer? Qu'il vienne, Bateman.

Un garçon d'écurie entra en tordant nerveusement son bonnet. Lord Manville se rassit.

— Eh bien, Jim, vous avez trouvé quelque chose?

— Je crois, my lord. Hier soir, j'ai été voir ma tante à Colbleworth. C'est à six kilomètres d'ici, comme vous le savez. Je me suis arrêté à l'auberge pour boire une bière. Pendant que j'étais là, deux palefreniers sont entrés. Le plus jeune a engagé la conversation et a demandé si nous faisions courir des chevaux le mois prochain. J'ai dit que vous aviez de très bons chevaux et il a répondu :

» — Il y en a un dans notre écurie qui est capable de battre n'importe quel autre cheval du pays.

» Je lui ai répondu qu'il exagérait.

» — Non, a-t-il répondu. C'est un étalon noir. Il est gigantesque. Il peut galoper plus vite et sauter plus haut que n'importe quel animal que vous pourriez lui opposer.

» Je voulais lui demander des détails, mais l'autre palefrenier l'a appelé et il est parti en toute hâte.

— Mais qui étaient-ils? D'où venaient-ils? demanda lord Manville avec ardeur.

— C'est ce que j'allais vous dire, my lord. Je me suis renseigné auprès de l'aubergiste, que je connais bien. Il m'a dit que c'était des domestiques du comte de Storr, en s'étonnant que je n'aie pas reconnu la livrée.

— Le comte de Storr!

Le visage de lord Manville s'illumina au point qu'Adrian intervint :

— Il se peut que ce ne soit pas Pégase. Ne vous faites pas trop d'illusions. Il y a d'autres étalons noirs.

— Oui, bien sûr. Je vous remercie, Jim. S'il s'agit bien de Pégase, vous aurez la récompense que j'ai promise à la personne qui me ferait retrouver Mlle Candida.

— Je sais my lord. Je vous remercie!

Le garçon d'écurie quitta la pièce à reculons.

Lord Manville se tourna vers Adrian, les yeux brillants.

— C'est certainement là qu'elle est allée. Au château de Storr. Mais pourquoi?

— N'en soyez pas trop sûr, implora Adrian.

Il avait l'impression que, si cet espoir était déçu, son tuteur ne s'en remettrait pas.

— Je vais aller rendre visite à lord Storr immédiatement, déclara Lord Manville.

— Pas à 7 heures du matin, protesta Adrian.

— Non, vous avez raison, admit lord Manville en regardant la pendule.

— Il faut que vous attendiez au moins midi. Sinon, cela paraîtrait bizarre.

— J'y serai à 11 heures et demie. Dites qu'on prépare mon cabriolet, Adrian. Je vais me changer.

Il sortit. Adrian l'entendit courir dans le couloir comme un écolier qui part en vacances.

— J'espère qu'il ne se trompe pas. Mon Dieu, faites que Candida soit bien au château de Storr! pria-t-il avec ferveur.

12

Vers 11 h 30 du matin, le comte et la comtesse de Storr étaient assis dans le salon bleu du château. Le comte, un homme âgé qui avait été très beau dans sa jeunesse, avait le pied sur un tabouret recouvert de velours. Il lisait tout haut le *Morning Post*. Il finit par poser le journal et remarqua :

— Vous n'écoutez pas, Emily.

— Mais si, mon ami, répondit sa femme, délaissant sa tapisserie.

— Dans ce cas, de quoi traitait l'article que je vous ai lu?

Sa femme eut un rire si gai, si jeune, qu'il démentait ses cheveux gris.

— J'admets que vous m'avez prise en flagrant délit, comme eût dit Elisabeth. Je pensais à Candida.

— Nous ne cessons d'y penser l'un et l'autre, grommela lord Storr.

— Elle n'est pas heureuse, Arthur.

— Pas heureuse! Et pourquoi pas? Nous lui avons donné tout ce qu'elle désirait. Elle a constamment refusé de participer à une Saison à Londres, bien que vous lui ayez proposé de la présenter à la Reine.

— Elle pleure toutes les nuits dans son oreil-

ler, expliqua lady Storr en baissant la voix. C'est
Mme Danvers qui m'en a prévenue. Je l'ai écoutée
derrière sa porte à plusieurs reprises. Cela fend le
cœur. Mais j'hésite à l'interroger. Peut-être, lorsqu'elle nous connaîtra mieux, nous fera-t-elle confiance spontanément.

— Mais qu'est-ce qui peut bien la tourmenter?

— C'est ce que je ne cesse de me demander. Je
ne peux pas croire que ce désespoir soit dû uniquement à la mort de son père.

Le comte de Storr émit un grognement de protestation dédaigneuse.

— Voyons, Arthur, lui reprocha sa femme, vous
avez...

— Oui, oui, je sais. Je ne dirai rien contre cet
homme qui puisse faire de la peine à Candida.
Mais quand je pense qu'il nous a privés d'Elisabeth toutes ces années, je suis tenté de le mau-
dire pour l'éternité.

— C'était votre faute, mon ami. Vous n'avez
guère fait d'efforts pour retrouver Elisabeth
quand ils se sont enfuis et, lorsque nous nous
sommes mis à les chercher, ils avaient disparu
sans laisser aucune trace.

— Je conviens que c'est ma faute, admit le
comte avec irritation. Mais maintenant que Candida nous est revenue, nous devons veiller à ce
qu'elle soit heureuse. Donnez-lui tout ce qu'elle
désire, Emily, sans restriction.

— Mais bien entendu, lorsque c'est en mon
pouvoir, répondit lady Storr sans conviction.

Elle soupira avec une expression préoccupée.

La porte s'ouvrit. Ils tournèrent la tête. C'était
le maître d'hôtel. Il s'approcha du comte.

— Lord Manville est ici, my lord. Sa Seigneurie
désirerait vous parler d'une question urgente.

— Lord Manville! s'exclama Lady Storr. Faites
entrer Sa Seigneurie, Newman, et servez le meilleur porto. A moins que lord Manville préfère du
madère.

— Manville! Je pensais qu'il passait son temps en ville, remarqua lord Storr. D'après ce que j'en ai entendu dire, c'est un homme qui aime s'amuser.

Newman sortit puis revint au bout d'un moment en annonçant d'un ton solennel :

— Lord Manville, my lady.

Lady Storr se leva tandis que lord Manville se dirigeait vers eux. Il était habillé avec une extrême élégance et elle n'eût pas été femme si elle n'avait pas apprécié sa prestance et la séduction de son sourire lorsqu'il la salua avant de se tourner vers le comte.

— Je suis content de vous voir, Manville, dit le comte de Storr. Excusez-moi de ne pas me lever. J'ai la goutte. C'est un fléau de l'âge. Il nous frappe tous un jour ou l'autre.

— J'en ai bien peur, acquiesça lord Manville.

— Je vous en prie, asseyez-vous, lord Manville, intervint lady Storr en lui désignant un siège. C'est un grand plaisir de vous voir. Votre mère et moi étions très amies. Il ne se passait pas de semaine sans que nous nous rendions visite. Nous n'étions ni l'une ni l'autre portées aux commérages, mais nous aimions être ensemble.

— Ma mère m'a souvent parlé de vous. Et mon père m'a dit combien il prenait plaisir à vous défier à la course, my lord.

— Votre père était un bon juge de chevaux, déclara lord Storr.

Il y eut un moment de silence. Puis lord Manville, comme s'il ne pouvait pas perdre plus de temps en aimables banalités, reprit d'une voix tendue :

— Je suis venu vous voir, my lord, avec l'espoir que vous pourriez m'aider.

— Vous aider? interrogea lady Storr avec surprise. Mais nous en serions ravis, n'est-ce pas, Arthur?

— Bien entendu. Que pouvons-nous pour votre service?

Avant que lord Manville pût répondre, une voix s'exclama dans le jardin, devant la porte-fenêtre ouverte :

— Grand-père, devinez ce qui est arrivé!

Une silhouette mince, vêtue de blanc, pénétra en courant dans la pièce. La jeune fille n'avait d'yeux que pour le vieil homme. Elle glissa sa main dans la sienne et l'embrassa sur le front.

— C'est incroyable, grand-père, poursuivit-elle d'une voix excitée, mais Pégase a sauté par-dessus la rivière. Il m'a vue sur l'autre rive et il a sauté, sans toucher l'eau. Vous savez combien elle est large. N'est-ce pas extraordinaire?

— En effet. Mais Pégase est un cheval remarquable. Manville, je crois que vous ne connaissez pas ma petite-fille.

Lord Manville s'était levé à l'entrée de Candida. Elle sursauta. Leurs regards se croisèrent. On eût dit qu'ils étaient l'un et l'autre pétrifiés.

Ils se regardèrent longuement, si tendus qu'ils en oublièrent tout ce qui les entourait, comme s'ils étaient seuls au monde.

Puis avec un petit cri, comme d'un animal effrayé, Candida fit volte-face et s'enfuit. Elle sortit de la pièce et courut se réfugier sur la terrasse ensoleillée. Avec un murmure d'excuse à l'intention de ses hôtes, lord Manville la suivit.

— Mais que se passe-t-il? demanda lord Storr avec irritation. Pourquoi Candida s'est-elle sauvée et pourquoi Manville l'a-t-il suivie?

Lady Storr reprit sa tapisserie.

— Je pense, Arthur, que nous avons découvert la raison pour laquelle Candida était malheureuse.

— Vous voulez dire que Manville l'a contrariée? Je ne le tolérerai pas, Emily, m'entendez-vous? Et je ne veux pas non plus qu'il l'emmène, si c'est là son intention. Maintenant qu'elle nous est revenue, j'aurais l'impression de perdre Elisabeth une seconde fois.

— Manville Park n'est pas loin, répondit lady

Storr calmement et je ne crois pas que nous perdions Candida complètement, quoi qu'il advienne.

Candida s'était arrêtée à l'extrémité de la terrasse. Elle savait que lord Manville l'avait suivie et la fierté lui interdisait de se dérober plus longtemps. Elle posa la main sur la balustrade. Lorsqu'il s'approcha d'elle, il se rendit compte qu'elle tremblait.

Elle évitait de le regarder et il la voyait de profil. Il admira la ligne aristocratique de son nez, la courbe douce de ses lèvres entrouvertes et la grâce pleine de fierté de son port de tête.

Il se demanda une fois de plus comment il avait pu être aveugle au point de ne pas la reconnaître pour ce qu'elle était.

Il s'approcha d'elle lentement. A la façon dont une veine battait dans son cou, il se rendit compte qu'elle était effrayée. Au bout d'un instant, elle murmura d'une voix à peine audible :

— Vous êtes venu chercher Pégase?

— Non, c'est vous que j'ai cherchée partout.

— Je n'aurais pas dû emmener le cheval alors que vous l'aviez payé. Il vous appartenait, mais je ne pouvais pas l'abandonner.

— Ce n'était pas Pégase qui comptait!

La voix de lord Manville était étranglée par l'émotion. Il se força à parler plus calmement.

— Ne vous rendez-vous pas compte du désastre provoqué par votre départ? Mme Hewson ne cesse de pleurer. Bateman est paralysé par les rhumatismes. Garton est si irascible que les garçons d'écurie menacent de s'en aller. Et Alphonse fait une cuisine immangeable.

Candida sourit faiblement.

— Je suis sûre que ce n'est pas vrai.

— Mais si, assura lord Manville. Adrian a écrit tant de poèmes pour les déchirer ensuite que la maison ressemble à une gigantesque corbeille à papiers.

L'espace d'un instant, elle le regarda, étonnée.

216

— Vous savez qu'il écrit de la poésie?

— Il m'a expliqué combien vous lui aviez été utile. Je vous en remercie, Candida. Vous avez fait beaucoup pour Adrian. Vous avez su comprendre ce dont il avait besoin alors que moi j'ai été autoritaire et maladroit.

— Vous n'êtes pas fâché qu'il écrive de la poésie?

— Je ne suis fâché en aucune manière. Je suis plus heureux de vous avoir retrouvée que je ne saurais l'exprimer.

— Je croyais que vous étiez en colère contre moi, balbutia Candida. Vous avez dit...

— Ne pouvez-vous l'oublier? J'étais hors de moi. Je n'avais pas compris ce qui s'était passé.

— Mais pourquoi êtes-vous ici? Et pourquoi Alphonse est-il encore à Manville Park? Je pensais que vous étiez retourné à Londres.

— Je n'ai cessé de vous chercher.

— Je vous croyais à Londres en train de vous amuser avec vos amis.

— J'ai parcouru le pays en tous sens et épuisé tous les chevaux de mon écurie. Vous les auriez plaints à les voir. Mais j'ai acheté un cheval que vous aimerez : Firefly.

— Comme j'en suis heureuse!

— J'attends que vous veniez le monter.

Candida respira profondément.

— Il y a quelque chose que je dois vous dire, déclara-t-elle avec un violent effort sur elle-même. Vous étiez en colère contre moi. J'étais innocente de ce dont vous me soupçonniez, mais je vous ai tout de même trompé.

Lord Manville voulut intervenir mais, d'un geste de la main, elle l'en empêcha. Elle tremblait de tout son corps.

— Non, laissez-moi parler. Je n'ai cessé d'y réfléchir. Je me rends compte que j'ai eu tort de suivre le capitaine Hooper à Londres lorsqu'il me l'a demandé. Maman ne m'aurait pas approuvée.

Mais je ne pensais qu'à Pégase et au moyen de ne pas le perdre. Le capitaine Hooper a toujours été bon envers moi, mais je sentais qu'il y avait quelque chose de bizarre chez les femmes qui montaient ses chevaux. Et pour Mme Clinton, c'était la même chose. Je savais que maman n'eût pas aimé cette femme, malgré les gentillesses qu'elle avait pour moi. Dans ma stupidité, j'ai cru qu'elle me faisait cadeau de ces robes pour m'aider. Je ne savais pas que vous alliez les payer.

— Candida... implora lord Manville, ne...

Mais il se rendit compte qu'il fallait la laisser aller jusqu'au bout de son discours. Il se demanda combien de fois elle l'avait répété en elle-même en prévision de leur rencontre.

— Quand vous m'avez emmenée à Manville Park sans chaperon, je savais, bien entendu, que je n'aurais pas dû vous suivre. En apparence, il n'y avait rien de mal dans la situation, mais, au fond de moi-même, je savais que je me comportais d'une façon répréhensible. Mais j'étais si heureuse!

Sa voix se brisa. Avec un courage manifeste, elle reprit :

— Je ne me rendais pas compte de ce qui arrivait. Je voulais être avec vous. Lorsque vous m'avez embrassée, j'ai compris que je vous aimais et j'ai cru que vous m'aimiez aussi.

— Mais je vous aimais, murmura lord Manville, la dévorant des yeux.

— J'étais si ignorante et si stupide, balbutia Candida, que j'ai cru que cela signifiait que vous vouliez m'épouser et que nous passerions le reste de notre vie ensemble.

— C'est bien ce que cela aurait dû signifier.

Candida secoua la tête.

— J'ai lu sur votre visage, ce soir-là, avant le dîner, que ce n'était pas votre intention, et qu'il y avait une terrible méprise.

— C'est moi qui étais dans mon tort, Candida

— Non. C'est moi qui vous avais menti.

Lord Manville fut bouleversé de l'entendre ainsi s'accuser.

— J'ai interrogé grand-père sur les Argyll Rooms, Motts et Kate Hamilton's, et il m'a répondu que c'était des lieux dont une dame devait ignorer jusqu'à l'existence. C'est ainsi que j'ai compris que vous m'aviez prise pour une de ces femmes.

— Candida, vous me torturez! C'était une impardonnable erreur.

Mais elle ne semblait pas l'avoir entendu. Elle continua :

— Si j'avais été honnête, si je vous avais dit la vérité, peut-être tout eût-il été différent. Mais j'avais peur d'être renvoyée et séparée de Pégase. C'est pourquoi j'ai feint de faire ce que vous me demandiez alors qu'en réalité j'aidais Adrian à écrire ses poèmes. Puis ces femmes sont arrivées.

— Ce sont des femmes que vous n'auriez jamais dû rencontrer et dont vous ne devriez même pas connaître l'existence.

— Plus je pensais à elles, plus je me rendais compte que j'en faisais partie, murmura Candida en rougissant. C'est la raison pour laquelle Mme Clinton m'avait affublée de cette amazone blanche si vulgaire le jour où le capitaine Hooper m'a emmenée à Hyde Park, afin que vous ou un autre me remarquiez, et achetiez Pégase et moi avec lui. C'était ma faute et j'en ai honte.

Sa voix s'étrangla et les larmes se mirent à ruisseler sur ses joues.

— Je vous en supplie, Candida, ne pleurez pas.

— Je voudrais ajouter quelque chose, reprit-elle avec effort. Je n'ai pas dit à mon grand-père et à ma grand-mère que j'avais été à Londres, ni que j'ai habité avec vous à Manville Park. J'ai pensé qu'ils ne comprendraient pas et qu'ils en seraient blessés. C'est pourquoi je leur ai laissé croire que j'étais allée directement chez eux après la mort de mon père et que j'étais contusionnée parce que j'avais fait une chute. C'était un mensonge, mais il m'a semblé que c'était pour leur bien.

Elle l'interrogea du regard, quêtant son approbation.

— Je pense que vous avez eu raison, affirma-t-il chaleureusement, et que c'est une idée qui ne pouvait venir qu'à une dame. Une très grande dame.

— Ainsi, vous ne me méprisez pas tout à fait? chuchota-t-elle les yeux encore pleins de larmes.

Il lui prit les mains. Candida frémissait mais ne chercha pas à se libérer.

— Candida, voulez-vous me faire l'honneur de devenir ma femme? Je ne peux pas vivre sans vous.

Pendant un moment, elle demeura silencieuse. Puis elle dit :

— Me demandez-vous de vous épouser par sentiment d'obligation, parce que j'ai retrouvé mes grands-parents?

— Certainement pas, protesta-t-il en serrant ses mains à lui faire mal. Je vous le demande parce que je vous aime, parce que je vous vénère, parce que je vous désire et que je ne peux pas me passer de vous. Tout ce qui est arrivé est arrivé par ma faute et non la vôtre. J'ai été aveugle et d'une stupidité criminelle. Il faut que vous me compreniez et que vous tentiez de me pardonner.

Il avait l'impression de ne pas l'avoir convaincue. Avec désespoir, il reprit :

— J'ai fait beaucoup de choses que je n'aurais pas dû faire, Candida. Il n'est que juste que vous soyez choquée, voire écœurée, par mon comportement. Je n'ai pas d'excuse si ce n'est que j'ai été trahi par une femme et que je ne l'ai jamais oublié. J'ai soupçonné toutes les autres de calcul depuis. J'ai cru qu'elles étaient toutes pareilles, qu'elles n'aimaient un homme qu'en proportion de la fortune et de la position sociale qu'il avait à leur offrir. C'est pourquoi, lorsque je vous ai rencontrée, il m'était impossible de croire, malgré l'évidence, à votre sincérité et à votre pureté.

— C'est une femme qui vous a blessé? J'en étais certaine.

— Vous l'aviez deviné?

— Oui, j'étais convaincue que c'était une femme qui vous avait fait du mal et j'avais raison.

— Vous avez toujours eu raison. Candida, je ne veux pas dramatiser, mais, si vous refusez de m'épouser il ne me restera rien, qu'à mener une vie si dégradante, si inutile, que mon seul espoir est qu'elle ne dure pas longtemps.

Elle le regardait intensément, comme si elle cherchait à lire sur son visage quelque certitude. Il s'exclama avec la passion du désespoir :

— Candida, si vous m'épousez, je vous jure que je vous serai fidèle. Je vous aimerai de tout mon cœur. On prétend que je n'en ai pas, mais je vous assure qu'il m'a fait souffrir au delà de ce que je peux exprimer pendant les trois semaines où je vous ai cherchée en vain.

— Je vous ai vraiment manqué?

— Manqué?

Il faillit sourire de l'absurdité de la question. Mais elle reprit :

— Il y a quelque chose de différent en vous. Je ne sais comment l'exprimer. Vous avez déjà eu une fois cette expression-là, le jour où nous avons trouvé notre bois enchanté.

— Candida, revenons à ce jour-là et oublions tout ce qui s'est passé ensuite. Tout ce que j'ai dit et fait ce soir-là était provoqué par la jalousie. J'en étais fou. Je ne pouvais pas supporter l'idée qu'un autre homme vous touche. Je pensais que vous m'apparteniez, j'en étais convaincu. Si j'avais eu le moindre bon sens, après ces moments de bonheur dans le bois, je vous aurais emmenée dans un lieu où nous aurions pu être seuls, juste vous et moi.

— Si seulement vous l'aviez fait, soupira Candida.

— Ne pouvons-nous tout recommencer? demanda humblement lord Manville. Oh, Candida, acceptez de devenir ma femme!

— Etes-vous bien sûr de désirer m'épouser? Je suis si ignorante. Je sais si peu de la vie que vous menez, de ce que vous aimez et de ce qui vous amuse.

— Oh, mon amour, je n'en sais pas plus que vous. Ne comprenez-vous pas que nous recommençons notre vie tous les deux? Tout ce que j'ai fait dans le passé me paraît aujourd'hui ennuyeux au point que je désire l'oublier. Nous vivrons à Manville Park. Nous y construirons une nouvelle existence, seuls tous les deux avec nos chevaux et un jour, peut-être, nos enfants. Cela vous suffit-il?

Il se rendit compte que les yeux de Candida, à travers ses larmes, rayonnaient.

— C'est ce que j'ai toujours désiré, chuchota-t-elle. Un foyer et...

Elle s'interrompit et baissa les yeux. Lord Manville, incapable de se maîtriser davantage, la prit dans ses bras, la serra contre lui et, levant son menton, chercha ses lèvres.

— Si vous saviez à quel point j'ai rêvé de cet instant, chuchota-t-il.

Candida retrouva l'exaltation, l'extase, l'émerveillement qu'elle avait éprouvés dans le petit bois. Mais elle sentit d'instinct, sans pouvoir l'expliquer, qu'il y avait une dévotion dans ce baiser qui n'existait pas jusque-là. Les lèvres de lord Manville, tout d'abord douces, se firent passionnées, éveillant une flamme en elle.

Mais il y avait aussi quelque chose qui lui sembla indissolublement associé à ses prières, sa foi en Dieu et la splendeur du soleil.

Impulsivement, elle mit les bras autour de son cou et l'attira à elle. Il ne comprendrait jamais combien elle s'était sentie seule et perdue sans lui. Elle avait eu l'impression de s'être amputée d'une part d'elle-même en fuyant Manville Park.

Désormais, la bouche de lord Manville sur la sienne, ils étaient un homme et une femme, mais si proches qu'ils ne faisaient qu'un. Elle savait qu'ils seraient ensemble pour l'éternité.

— Oh, Candida, murmura lord Manville, je vous ai trouvée, après vous avoir crue perdue à tout jamais. Vous ne me quitterez plus jamais, n'est-ce pas? Je sais aujourd'hui que vous êtes la seule personne qui comptez au monde. Je ne peux pas vivre sans vous.

— Je vous aime aussi, balbutia-t-elle, ivre de bonheur.

Son visage rayonnant était transfiguré.

— Je vous aime et plus rien d'autre ne compte, n'est-ce pas?

— Plus rien, ma chérie, répondit-il. Nous sommes ensemble, vous et moi. Qu'importe le reste du monde!

ÉDITIONS J'AI LU

31, rue de Tournon, 75006-Paris

diffusion

France et étranger : Flammarion - Paris
Suisse : Office du Livre - Fribourg
Canada : Flammarion Ltée - Montréal

« Composition réalisée en ordinateur par IOTA »

IMPRIMÉ EN FRANCE PAR BRODARD ET TAUPIN
7, bd Romain-Rolland - Montrouge.
Usine de La Flèche, le 20-01-1977.
1444-5 - Dépôt légal 1er trimestre 1977.